崇文館
家庭典藏

崇文国学经典
普及文库

陶渊明诗

陈雪琴◎注评

长江出版传媒
崇文书局

陶渊明诗

图书在版编目（CIP）数据

陶渊明诗／陈雪琴注评．
—武汉：崇文书局，2017.1
（崇文国学经典普及文库）
ISBN 978-7-5403-4263-0
Ⅰ．①陶…
Ⅱ．①陈…
Ⅲ．①古典诗歌－诗集－中国－东晋时代
Ⅳ．①I222.737.2
中国版本图书馆CIP数据核字（2016）第261882号

出品人　潘启胜

统　　筹　陈中琼
责任编辑　陶永跃　曾　咏
出版发行　长江出版传媒｜崇文书局
地　　址　武汉市雄楚大街268号C座11层
电　　话　(027)87293001　邮政编码　430070
印　　刷　湖北恒泰印务有限公司
开　　本　889×1194　1/32
印　　张　5.25
字　　数　100千字
版　　次　2017年1月第1版
印　　次　2017年1月第1次印刷
定　　价　19.80元
（如发现印装质量问题，影响阅读，请与承印厂调换）

总序

现代意义的"国学"概念，是在19世纪西学东渐的背景下，为了保存和弘扬中国优秀传统文化而提出来的。1935年，王缁尘在世界书局出版了《国学讲话》一书，第3页有这样一段说明："庚子义和团一役以后，西洋势力益膨胀于中国，士人之研究西学者日益众，翻译西书者亦日益多，而哲学、伦理、政治诸说，皆异于旧有之学术。于是概称此种书籍曰'新学'，而称固有之学术曰'旧学'矣。另一方面，不屑以旧学之名称我固有之学术，于是有发行杂志，名之曰《国粹学报》，以与西来之学术相抗。'国粹'之名随之而起。继则有识之士，以为中国固有之学术，未必尽为精粹也，于是将'保存国粹'之称，改为'整理国故'，研究此项学术者称为'国故学'……"从"旧学"到"国故学"，再到"国学"，名称的改变意味着褒贬的不同，反映出身处内忧外患之中的近代诸多有识之士对中国优秀传统文化失落的忧思和希望民族振兴的宏大志愿。

从学术的角度看，国学的文献载体是经、史、子、集。崇文书局的这一套国学经典普及文库，就是从传统的经、史、子、集中精选出来的。属于经部的，如《诗经》《论语》《孟子》《周易》《大学》《中庸》《左传》；属于史部的，如《战国策》《史记》《三国志》《贞观政要》《资治通鉴》；属于子部的，如《道德经》《庄子》《孙子兵法》《鬼谷子》《世说新语》《颜氏家训》《容斋随笔》《本草纲目》《阅微草堂笔记》；属于集部的，如《楚辞》《唐诗三百首》《豪放词》《婉约词》《宋词三百首》《千家诗》《元曲三百首》《随园诗话》。这套书内容丰富，而分量适中。一个希望对中国优秀传统文化有所了解的人，读了这些书，一般说来，犯常识性错误的可能性就很小了。

崇文书局之所以出版这套国学经典普及文库，不只是为了普及国学常识，更重要的目的是，希望有助于国民素质的提高。在国学教育中，有一种倾向需要警惕，即把中国优秀的传统文化"博物馆化"。"博物馆化"是20世纪中叶美国学者列文森在《儒教中国及其现代命运》中提出的一个术语。列文森认为，中国传统文化在很多方面已经被博物馆化了。虽然中国传统的经典依然有人阅读，但这已不属于他们了。"不属于他们"的意思是说，这些东西没有生命力，在社会上没有起到提升我们生活品格的作用。很多人阅读古代经典，就像参观埃及文物一样。考古发掘出来的珍贵文物，和我们的生命没有多大的关系，和我们的生活没有多大关系，这就叫作博物馆化。"博物馆化"的国学经典是没有现实生命力的。要让国学经典恢复生命力，有效的方法是使之成为生活的一部分。崇文书局之所以强调普及，深意在此，期待读者在阅读这些经典时，努力用经典来指导自己的内外生活，努力做一个有高尚的人格境界的人。

国学经典的普及，既是当下国民教育的需要，也是中华民族健康发展的需要。章太炎曾指出，了解本民族文化的过程就是一个接受爱国主义教育的过程："仆以为民族主义如稼穑然，要以史籍所载人物制度、地理风俗之类为之灌溉，则蔚然以兴矣。不然，徒知主义之可贵，而不知民族之可爱，吾恐其渐就萎黄也。"(《答铁铮》)优秀的传统文化中，那些与维护民族的生存、发展和社会进步密切相关的思想、感情，构成了一个民族的核心价值观。我们经常表彰"中国的脊梁"，一个毋庸置疑的事实是，近代以前，"中国的脊梁"都是在传统的国学经典的熏陶下成长起来的。所以，读崇文书局的这一套国学经典普及读本，虽然不必正襟危坐，也不必总是花大块的时间，更不必像备考那样一字一句锱铢必较，但保持一种敬重的心态是完全必要的。

期待读者诸君喜欢这套书，期待读者诸君与这套书成为形影相随的朋友。

陈文新

（教育部长江学者特聘教授，武汉大学杰出教授）

前言

陶渊明（365—427），浔阳柴桑（今江西九江）人，名潜，号五柳先生，东晋著名的山水田园诗人。从萧统到朱熹，陶渊明是中国古代文人在仕途、人生失意时的精神支撑，同时也是中国文化史上不可多得的精神元素。陶渊明是晋代望族陶侃的后人，陶侃位至大司马，封为长沙郡公，是我国历史上著名的军事家。到陶渊明的祖父陶茂时，家族依旧庞大，陶茂曾任武昌太守。到陶渊明时则盛宴难再，他虽五次入仕，但官位没有超过彭泽县令，即便和桓玄交好期间，也不过担任“镇守参军”和“建威参军”等职。“少无适俗韵，性本爱丘山”是陶渊明一生的真实写照，从他的人生经历来看，他经历了少年“园田居”生活、青年“入桓玄幕府”“任彭泽县令”和中晚年“在家隐居”这几个阶段。

据学者考证，陶渊明祖辈信仰天师道，这种宗教信仰和当时的玄学风气使陶渊明在青少年时期一直生活在家乡的“园田居”之中，从他一系列的田园诗中不难想象当年的情景，“晨兴理荒秽，带月荷锄归”“误落尘网中，一去三十年”等诗明显地表达了他这种愿望。魏晋风流，诚如冯友兰先生所说——玄心、洞见、妙赏、深情，这在陶渊明身上得到了印证，他的田园诗歌，他的“不为五斗米折腰”的气节，恰恰是这种风流精神的体现。

但我们也应该清晰地看到，陶渊明绝对不是一个甘愿沉寂下僚的人，他的隐居有现实的原因，更是个性的流露，这在《读山海经》一诗中体现地很明显，“精卫衔微木，将以填沧海。刑天舞干戚，猛志固常在。同物既无虑，化去不复悔。徒设在昔心，良辰讵可待。”他是有着刑天一般的“猛志”的。也正是基于这种情怀，他在四十七岁时入桓玄幕，五十三岁时再任镇军参军。但此后就在家隐居，直到七十六岁逝世。

他的人生观还可以“身非我有也，既生不得不全之”两句话总括之。但他虽承认“人”无非是自然的一部分，却以为“有生之最灵者，人也”。所以他的《神释》篇说“人为三才中，岂不以我故”。他对于儒家“忧道不忧贫”原是赞成的，但不主张不忧贫便不劳作，因而觉得儒家的主义未免太空疏一点。所以他说：“先师有遗训，忧道不忧贫。瞻望邈难逮，转欲志长勤。”又略带一点讽刺的语气道：“孔耽道德，樊须是鄙。董乐琴书，田园不履。若能超然，投迹高轨。敢不敛衽，敬赞德美。”

陶渊明一生最大的成就是诗歌创作，从陶渊明到谢灵运，中国山水文学实现了自身的涅槃。他的诗歌简约玄淡、不滞于物、崇尚自然。其语言平淡，风格朴实清逸，于平淡中显性情，于朴实中彰风流。萧统道：“渊明文章不群，词采精拔，跌宕昭彰，独超众类，抑扬爽朗，莫之与京，横素波而傍流，干青云而直上，语时事则指而可想，论怀抱则旷而且真，加以贞志不休，安道苦节，不以躬耕为耻，不以无才为病，自非大贤笃志与道污隆，孰能如此乎？”朱熹道："渊明诗所以为高，正在不待安排，胸中自然流出。”顾炎武道："末世人情弥巧，文而不惭，固有朝赋《采薇》之篇而夕有捧檄之喜者……栗里之征士，淡然若忘于世，而感愤之怀，有时不能自止而微见其情者，真也。”历代的文论家对他诗中所体现出来的“道”和“词采”都是极为称道的。直到今天，提到隐逸诗人，我们首先想到的还是陶渊明。

“此中有真意，欲辩已忘言。”这两句诗虽是作者写自己对于自然和人生的洞见，却仿佛是预先代我们后世的读者说的。我们读他的诗，常得着一种浑然的美的印象，但觉有一种真淳的风趣沁人脾肺。你如想去批评它，分析它，总觉得无从下手。这正是真艺术的特色。

目录

癸卯岁始春怀古田舍二首①

在昔闻南亩，当年竟未践②。
屡空既有人，春兴岂自免③？
夙晨装吾驾，启涂情已缅④。
鸟哢欢新节，泠风送余善⑤。
寒草被荒蹊，地为罕人远⑥。
是以植杖翁，悠然不复返⑦。
即理愧通识，所保讵乃浅⑧。

【注释】

①吴瞻泰《陶诗汇注》卷三："题曰'怀古田舍'，故二首俱是怀古之论；前首荷蓧丈人，次首沮溺，皆田舍之可怀者也。"

②在昔：过去，往日。南亩：农田。此处似有所指。未践：未亲自耕作。

③屡空：食用常缺，意谓贫穷。《论语·先进》："子曰：'回也其庶乎，屡空。'"此指诗人之贫穷如颜回一样。春兴：春天开始耕种劳作。

④夙晨：早晨。夙，早。驾：车乘。此指备好车马和农具。启涂：启程。涂，通"途"。缅：遥远貌。

⑤哢（lòng）：鸟叫。新节：新春。泠（líng）风：小风，和风。《庄子·齐物论》："泠风则小和。"陆德明《释文》："泠风，泠泠小风也。"善：美好。《庄子·逍遥游》："夫列子御风而行，泠然善也。"

⑥被：覆盖。荒蹊：荒芜的小路。地为罕人远：所至之地（即南亩）因为人迹罕至而显得偏远。

⑦植杖翁：指荷蓧丈人。《论语·微子》："子路从而后，遇丈人，以杖荷

蓧。子路问曰：‘子见夫子乎？’丈人曰：‘四体不勤，五谷不分，孰为夫子？’植其杖而芸。子路拱而立。止子路宿，杀鸡为黍而食之，见其二子焉。明日，子路行以告。子曰：‘隐者也。’使子路反见之。至，则行矣。”悠然：闲适貌。不复返：不再回到世俗社会。

⑧ 即理：这种事理。通识：通达之见。《论语·微子》记载有孔子和子路之语，说明仕而不隐之道理。陶渊明以为自己坚持隐而不仕的行为（即理），与这种“通识”相比是有“愧”的。所保：保全个人名节。讵（jù）：岂。浅：浅陋，低劣。

【赏析】

《癸卯岁始春怀古田舍》组诗共两首。癸卯岁是东晋安帝元兴二年（403），当时陶渊明三十九岁，作者因母亲去世，所以离职回家守丧，这两首组诗便是作于此时。第一首是怀荷蓧丈人，第二首怀长沮、桀溺。他们三人都是古代躬身力耕的隐士。作者通过怀念他们，表现了自己思想上由出仕到归隐的变化。这是本组诗的第一首，前四句写自己早就有归隐的想法，后面六句紧承上文的“春兴”二字，描写春天田垄上的美好风光和耕田途中开心自得的心境。最后四句由景入情，由春兴转入怀古，并且升华到人生哲理的高度，表明自己保节存真的心志。

先师有遗训，忧道不忧贫①。
瞻望邈难逮，转欲志长勤②。
秉耒欢时务，解颜劝农人③。

平畴交远风，良苗亦怀新④。
虽未量岁功，即事多所欣⑤。
耕种有时息，行者无问津⑥。
日入相与归，壶浆劳近邻⑦。
长吟掩柴门，聊为陇亩民⑧。

【注释】

①先师：孔子。忧道不忧贫：《论语·卫灵公》："子曰：'君子谋道不谋食。耕也，馁（něi，饥饿）在其中矣；学也，禄在其中矣。君子忧道不忧贫。'"

②瞻望：仰望。邈：高远。逮：企及。志：立志于。长勤：长期勤苦劳作。

③秉：持。耒（lěi）：犁柄，此指农具。时务：按时节应做之农务，此谓春耕。解颜：开颜，露出笑容。劝：劝勉，勉励。

④平畴（chóu）：平坦的田野。交：交遇。怀新：孕育新的生机。

⑤量：估量，计算。岁功：一年之收成。即事多所欣：谓务农本身便令人欢欣。

⑥行者无问津：无过路之人询问渡口在哪里。此处意谓不受人打搅。典出《论语·微子》："长沮、桀溺耦而耕，孔子过之，使子路问津焉。长沮曰：'夫执舆者为谁？'子路曰：'为孔丘。'曰：'是鲁孔丘与？'曰：'是也。'曰：'是知津矣。'问于桀溺，桀溺曰：'子为谁？'曰：'为仲由。'曰：'是鲁孔丘之徒与？'对曰：'然。'曰：'滔滔者天下皆是也，而谁以易之？且而与其从辟人之士也，岂若从辟世之士哉？'耰而不辍。"诗人在此以古代隐士长沮、桀溺自比。津，渡口。

⑦日入：日落。壶浆：酒。劳：慰劳。

⑧聊：姑且。陇亩民：田野之人，即农人。

【赏析】

这是本组诗的第二首,主旨与第一首相同，开篇的前四句也与上一首相类,记述自己在为官与归隐二者间选择后者。下面的十句，均是对上句中“长勤”(长期辛勤劳作)二字的展开,描绘农田的风光和自己劳作的情形。“平畴交远风，良苗亦怀新”二句描绘了平坦的原野上，远风习习，茁壮的苗圃孕育着新的生机，令人心旷神怡。“即事多所欣”“耕种有时息”“日入相与归”描绘诗人一整天开心耕耘，累了便歇息，日落就归来的辛勤而愉快的生活。最后两句，诗人再一次重申自己的理想：心甘情愿地做一个归隐的农人。

癸卯岁十二月中作与从弟敬远

寝迹衡门下，邈与世相绝①。
顾盼莫谁知，荆扉昼长闭②。
凄凄岁暮风，翳翳经日雪③。
倾耳无希声，在目皓已洁④。
劲气侵襟袖，箪瓢谢屡设⑤。
萧索空宇中，了无一可悦⑥。
历览千载书，时时见遗烈⑦。
高操非所攀，谬得固穷节⑧。

平津苟不由，栖迟讵为拙⑨？

寄意一言外，兹契谁能别⑩！

【注释】

①寝迹：埋没行踪，意犹隐居。衡门：横木为门，指简陋之居室。《诗·陈风·衡门》："衡门之下，可以栖迟。"

②盼：一作"眄"，斜视。

③凄凄：寒凉。《诗·郑风·风雨》："风雨凄凄，鸡鸣喈喈。"翳翳（yì）：阴暗，隐蔽貌。经日雪：下了一整天的雪。

④倾耳：侧耳细听。无希声：没有声音。《老子》："听之不闻名曰希。"河上公注："无声曰希。"皓：洁白、明亮。洁：洁净。或作"结"，聚积。

⑤劲气：猛烈之寒气。箪（dān）瓢：即箪食瓢饮。箪，竹制的盛饭容器。《论语·雍也》："子曰：'贤哉回也！一箪食，一瓢饮，在陋巷，人不堪其忧，回也不改其乐。'"谢：辞绝。屡：经常。设：陈设。

⑥萧索：萧条，冷落。宇：房屋。了：完全，全然。可悦：可令人高兴之事。

⑦历览：遍览。遗烈：古之志士、贤士。

⑧谬：误，谦辞。固穷节：固守穷困之气节。《论语·卫灵公》："子曰：'君子固穷，小人穷斯滥矣。'"

⑨平津：平坦大道，此喻仕途。津，本义为渡口，此指道路。由：遵从，遵循。栖迟：游息，指隐居。

⑩契：契合，指志同道合。别：识别。

【赏析】

这首诗是陶渊明在东晋安帝元兴二年（403）所作，寄呈堂弟敬远的。前四句写与世隔绝，指出作者当时的处境与心性。接下来四句写景，描绘了冬天的大雪，“倾耳无希声，在目皓已洁”，落雪时没有丝毫的声音，但当你猛然抬头一看，眼前已是白茫茫一片。虽然诗句中没有一个“雪”字，但却成为咏雪的千古名句。后四句直接抒写自己隐居生活的饥寒交迫，纵然如此，诗人还是坚定志向，在书中寻找古代贤士来慰藉自己。诗的最后四句点明主旨，陶渊明有官不去做，宁愿选择清苦的隐居生活，这在当时是不被理解的。但从弟敬远，与自己情趣相投，大概他能明白自己的选择吧。

和郭主簿二首①

蔼蔼堂前林，中夏贮清阴②。
凯风因时来，回飚开我襟③。
息交游闲业，卧起弄书琴④。
园蔬有余滋，旧谷犹储今⑤。
营己良有极，过足非所钦⑥。
舂秫作美酒，酒熟吾自斟⑦。
弱子戏我侧，学语未成音⑧。
此事真复乐，聊用忘华簪⑨。
遥遥望白云，怀古一何深⑩！

【注释】

①主簿：官名。郭主簿，不详。

②蔼蔼（ǎi）：草木茂盛貌。中夏：仲夏，农历五月。贮（zhù）：储存，积蓄。

③凯风：南风。《尔雅·释天》："南风谓之凯风。"《诗经·邶风·凯风》："凯风自南，吹彼棘心。"孔疏引李巡曰："南风长养万物，万物喜乐，故曰凯风。凯，乐也。"回飚（biāo）：回旋之风。

④息交：停止社交。游：优游，玩物适情之意。闲业：此指书琴等，与仕途"正业"相对而言。

⑤余滋：余味。储今：储存至今。

⑥营己：经营自身生活。良：很。极：限度。过足：过多。钦：羡慕。

⑦舂（chōng）：捣掉谷类皮壳。秫（shú）：黏高粱，多用以酿酒。斟：往杯中倒酒。

⑧弱子：幼子。

⑨聊：暂且。华簪（zān）：华贵之发簪。此喻华冠，指做官。簪，古人用以绾定发髻或冠之长针。

⑩白云：代指古时圣人。《庄子·天地》："夫圣人，鹑居而鷇食，鸟行而无彰。天下有道，则与物皆昌；天下无道，则修德就闲。千岁厌世，去而上仙，乘彼白云，至于帝乡。"一何：多么。

【赏析】

《和郭主簿》组诗共二首，前一首写于仲夏，后一首写于晚秋，时令不同，作者在诗中反映的心情也有所区别。第一首诗前十四句全部写自己的日常生活，田蔬和谷物都足够度日，树阴下还有凉风吹来。自己闲来无事又可看书抚琴，美酒可以自饮自斟，幼子在侧咿呀学语，所有的一切都是那么美好，诗人是如此满足，下文的“真复乐”即是对上述快乐生活的概括和总结。一改《癸卯岁十二月中作与从弟敬远》中“萧索空宇中，了无一可悦”那般凄苦，这时的作者富足，不愁生计。但更重要的是诗人自己有一颗“遥遥望白云”的闲适之心，忘掉了世俗的荣华，才会真正体验到隐居的乐趣。

和泽周三春，清凉素秋节①。
露凝无游氛，天高肃景澈②。
陵岑耸逸峰，遥瞻皆奇绝③。
芳菊开林耀，青松冠岩列④。
怀此贞秀姿，卓为霜下杰⑤。
衔觞念幽人，千载抚尔诀⑥。
检素不获展，厌厌竟良月⑦。

【注释】

①和泽：温和润泽。周：遍。三春：春季之三个月。素秋：秋季。素，白。古人以五色配五方，西尚白；秋行于西，故曰素秋。见《礼记·月令》。节：时节。

②露凝：露水凝结为霜。游氛：飘游之云气。肃景：秋景。《汉书·礼乐志》：“秋气肃杀。”

③陵：大土山。岑（cén）：山之小而高者。逸峰：姿态超迈之奇峰。

④开：开放。耀：耀眼，增辉。冠岩列：在山岩处排列成行。

⑤贞秀：坚贞秀美。卓：直立。此谓独立不群。霜下杰：谓松菊坚贞，不畏霜寒。

⑥衔觞：饮酒。幽人：隐士。抚尔诀：坚守其节操。抚，保持。诀，法则，原则，引申为节操。

⑦检素：自检平生情志，回顾本心。不获展：不得伸展。厌厌：精神不振貌。竟：终。良月：十月。

【赏析】

与第一首主要写归隐后愉悦的生活不同，第二首集中描述了秋天的景致，前一首因事述志，语调轻快活泼；后一首绘景达意，氛围却稍显严肃。这种变化一方面因为秋天清凉肃杀的时令，另一方面也与作者抑郁的心情有关。但这组诗的结构相似，前十句是写秋景，特别是“芳菊”和“青松”，坚贞秀美，不畏霜寒，是诗人向往和力追的品质。最后四句是议论作结，诗人端起酒杯，怀想远古的隐士，再看看自己，平生的归隐志向还没能如愿，所以只能精神厌厌地虚度时日。根据作者在诗中透露出的思想感情，这首诗似乎写于他归隐之前，表达他对田园隐士生活的无限欣羡之情。

诸人共游周家墓柏下①

今日天气佳，清吹与鸣弹②。

感彼柏下人，安得不为欢[3]？

清歌散新声，绿酒开芳颜[4]。

未知明日事，余襟良已殚[5]。

【注释】

①周家墓：或为周访家墓。陶、周两家世婚。陶渊明此次所游之地，疑即周访家墓。

②清吹：管乐。鸣弹：弦乐。

③感：感慨。柏下人：葬在柏树下之墓中人。安得：怎能。

④绿酒：新酒。新酿之酒呈绿色，故称。开：启。芳颜：美好容颜。

⑤明日事：即将来之事，包括生死之忧。襟：襟怀，心胸。良：甚。殚（dān）：竭尽。

【赏析】

这是一首典型的游玩行乐诗。天气佳妙的一天，和友人一道去祭访周家的茔墓，作者力避窠臼，不写墓地阴森凄凉和生者悲痛哀悼，却记述他们在柏树下吹箫弹琴，纵情享乐。墓主已逝，万事皆空，所以诗人引以为戒，要趁着大好年华及时行乐，不负韶光。于是他们清歌一曲，绿酒痛饮，欢娱至极。“新”和“芳”字将众人愉快的心情恰当地传达出来。七、八句是整首诗的高潮，但乐极必生悲，诗人不可能任其情感无限喷发。虽然作者安慰自己，不管将来之事如何，只要当下释放胸怀，将兴致遣尽，我们还是能感受到作者对生死、时光存有隐隐的忧虑。即便如此，欢愉的情感基调仍然是全诗主线，淡淡的愁绪反而更加真实地反映出陶渊明豁达和超然的心胸。

始作镇军参军经曲阿作①

弱龄寄事外，委怀在琴书②。
被褐欣自得，屡空常晏如③。
时来苟冥会，宛辔憩通衢④。
投策命晨装，暂与园田疏⑤。
眇眇孤舟逝，绵绵归思纡⑥。
我行岂不遥，登降千里余⑦。
目倦川途异，心念山泽居⑧。
望云惭高鸟，临水愧游鱼⑨。
真想初在襟，谁谓形迹拘⑩？
聊且凭化迁，终返班生庐⑪。

【注释】

①始作：初就职务。曲阿：地名，在今江苏丹阳。晋安帝元兴三年（404），陶渊明出任镇军将军参军，赴京口（今江苏镇江）上任。行经曲阿时，写下此诗。

②弱龄：少年时。寄事外：托身于世事之外。委怀：寄情。

③被褐（hè）：穿粗布衣。《老子》第七十章："是以圣人被褐怀玉。"欣自得：欣然自得。屡空：食用常常空乏，即贫困。晏如：安乐貌。

④时：时机，时运。冥会：自然吻合，暗中巧合。郭璞《山海经图赞·磁石》："气有潜通，数亦冥会。"宛：屈，放松。辔（pèi）：驾驭牲口之缰绳。憩

(qì): 休息。通衢(qú): 大道，此喻仕途。

⑤投策: 丢下手杖。命晨装: 命人备置清晨行装。疏: 疏远。

⑥眇眇: 遥远貌。绵绵: 连绵不断貌。归思: 思归之情。纡(yū): 萦回，苦闷郁结胸中。

⑦登降: 上山下山，指路途跋涉艰难。降，一作"陟"，登程，上路。

⑧目倦: 眼睛疲倦，厌于观看。川途异: 路途异乡景物。山泽居: 田园旧居。

⑨此二句意为，看到云中飞鸟和水中游鱼，内心感到惭愧。比喻踏上仕途，不如鸟鱼之自由。

⑩真想: 纯真朴素之思想。初: 原本。形迹拘: 为形体所拘，此指做官。

⑪凭: 任凭，听任。化迁: 自然之变化。班生庐: 仁者隐居之处。班固《幽通赋》: "终保己而贻则兮，里上仁之所庐。"后人因此称隐者之居为"班生庐"。庐，房屋。

【赏析】

东晋安帝元兴三年(404)，刘裕带兵讨伐桓玄，收复京邑，暂任镇军将军，坐镇京口(今江苏镇江)，陶渊明应征作镇军参军，途中经过曲阿(今江苏丹阳县)，这首诗便是当时当地所作。本诗突出地表现了作者赴任途中纠结于应征就官和眷念田园隐居生活的矛盾心情。诗人年少时便寄情于人事之外，倾心琴书，此刻却捐弃手杖，备置行装去做官，离开心爱的田园。人虽已去，心却怀念着"山泽居"，愧对飞鸟和游鱼，足见他内心真实的意愿仍然是回归山林。最后四句，作者给出了自己的回答和选择，他最终会重返隐居之所，保存自己不与世同流合污，甘愿贫贱的初衷。

庚子岁五月中从都还阻风于规林二首[①]

行行循归路，计日望旧居[②]。
一欣侍温颜，再喜见友于[③]。
鼓棹路崎曲，指景限西隅[④]。
江山岂不险？归子念前涂[⑤]。
凯风负我心，戢枻守穷湖[⑥]。
高莽眇无界，夏木独森疏[⑦]。
谁言客舟远，近瞻百里余[⑧]。
延目识南岭，空叹将焉如[⑨]！

【注释】

①庚子岁：晋安帝隆安四年（400）。规林：古地名。在今安徽宿松境内。

②行行：行而又行。《古诗十九首》："行行重行行，与君生别离。"循：沿着。计日：算计日期。

③欣：欢喜。温颜：温和慈祥之容颜，此指母亲。侍温颜，即侍奉母亲。友于：代指兄弟。《尚书·君陈》："孝乎惟孝，友于兄弟。"

④鼓棹（zhào）：划船。棹，船桨。崎曲：同"崎岖"，本指地面高低不平，此喻处境困难。景：日影。限西隅：悬在西边天际，意谓太阳即将落山。隅，边缘，角落。

⑤归子：归家之游子，作者自指。念：担忧。前涂：前路，此指归途。

⑥凯风：南风。戢（jí）：收藏，收敛。枻（yì）：短桨。穷：偏远。

⑦高莽：高深茂密之草丛。眇：辽远。无界：无边。森疏：繁茂扶疏。
⑧瞻：望。百里余：离家之距离。
⑨延目：放眼远望。南岭：此指庐山。焉如：何如，何往。

【赏析】

这两首诗写于东晋安帝隆安四年（400），陶渊明负命出使京都后归家的途中。二诗侧重点略有不同：第一首写因归程受阻而急于回家和亲人团聚的急切心情，第二首写对官事的冷漠和对田园的向往之情。本首诗开篇直抒胸臆，讲明自己不停地赶路，盘算着回家的日期。三、四句道出原因：为了早日见到家中的母亲和兄弟。承接的八句诗写路途崎险，又阻于逆风。本来就归心似箭的陶渊明却困于道路和凯风，心急如焚的他又添一层烦忧。不顾江山险峻，只惦记风雨兼程，诗人的思家念人之情在这二句诗上得以充分展现。最后四句写诗人仅剩下一百多里，家就在眼前，南岭已经可以遥见，但还是无可奈何，只有空自嗟叹，将他的迫切心情又向前推进一层。纵观全诗，作者的情感可谓步步深入，让读者感同身受。

自古叹行役，我今始知之①。
山川一何旷，巽坎难与期②。
崩浪聒天响，长风无息时③。
久游恋所生，如何淹在兹④。

静念园林好，人间良可辞[5]。

当年讵有几？纵心复何疑[6]！

【注释】

①行役：因公出行。《诗经·魏风·陟岵》：“予子行役，夙夜无已。”

②一何：多么。旷：空阔。巽（xùn）坎：《周易》中两个卦名，巽代表风，坎代表水，此喻世事风波。难与期：难以预料。

③崩浪：滔天巨浪。聒（guō）天响：响声震天。聒，喧嚷。长风：大风。

④游：游宦，在外做官。所生：此指父母。淹：滞留。兹：此，这里，指规林。

⑤人间：此指世俗官场。良：实在。

⑥当年：壮年。当，适逢。讵（jǔ）：岂。潘岳《悼亡诗》：“尔祭讵几时。”纵心：放纵情怀，不受世俗约束。

【赏析】

第二首诗中，作者所面对的景与事与第一首相同：都写自己被阻隔在回家的路上，但表达的情感是有差异的。本首诗的前六句都是由首句的“叹行役”展开，是叙事。山川空旷、波浪滔天、长风不住，这些都是诗人“叹”的原因。作者进一步追问：自己长期出门在外，想念亲人，究竟为何会在这里滞留多时呢？是客观山水和风的阻挠，还是自己贪图爵位俸禄呢？如此发问，便得到了诗中最后四句所写的答案和抉择：自己内心深处还是怀念园林的静好，喧嚣的尘世早就应该远辞。第九、十句是承上启下的过渡，后四句是议论表明自己的心志。整体上看这组诗，第一首是单纯思念亲人，第二首则上升到归隐之志的高度。

辛丑岁七月赴假还江陵夜行涂中①

闲居三十载，遂与尘事冥②。
诗书敦宿好，林园无俗情③。
如何舍此去，遥遥至西荆④！
叩枻新秋月，临流别友生⑤。
凉风起将夕，夜景湛虚明⑥。
昭昭天宇阔，皛皛川上平⑦。
怀役不遑寐，中宵尚孤征⑧。
商歌非吾事，依依在耦耕⑨。
投冠旋旧墟，不为好爵萦⑩。
养真衡茅下，庶以善自名⑪。

【注释】

①辛丑：即晋安帝隆安五年（401）。赴假：假满赴职。江陵：今属湖北，时为荆州镇地。涂中：《文选》作“涂口”，注：“《江图》曰：自沙阳县下流一百一十里至赤圻，赤圻二十里至涂口也。”或云涂口在今湖北安陆境内。

②尘事：世俗之事。冥：远隔，隔绝。

③敦：加厚，增益。宿好：旧所好也。林园：一作“园林”。

④西荆：即荆州。因地处京城建康（今南京）之西，故称西荆。一作“南荆”。

⑤叩枻：划船。《楚辞·九歌·湘君》：“桂棹兮兰枻，斫冰兮积雪。”王

逸注："枻，船旁板也。"友生：朋友。《诗·小雅·常棣》："虽有兄弟，不如友生。"

⑥将夕：将近傍晚。湛：清澈。虚明：空阔明亮。

⑦昭昭：明亮。皛皛（xiǎo，又读jiǎo）：皎洁明亮。

⑧怀役：意谓心中牵挂职事。不遑（huáng）：不暇。中宵：半夜。孤征：独自远行。

⑨商歌：谓自荐求官。商，声调名。此用宁戚故事。宁戚，卫人，闻齐桓公兴霸，无因自达，将车自往，乘桓公出，商歌车下，桓公闻之，慨然而悟。耦（ǒu）耕：两人并肩而耕，此指隐居躬耕。《论语·微子》："长沮、桀溺耦而耕。"

⑩投冠：抛弃冠冕，即弃官。旋：返回。旧墟：意谓故乡旧居。好爵：高官厚禄。

⑪养真：养性修真，保持真朴之本性。衡茅：简陋屋舍。衡，同"横"，即"横木为门"。茅，茅屋。《诗·陈风·衡门》："衡门之下，可以栖迟。"庶：庶几，差不多。

【赏析】

这首诗是陶渊明于东晋安帝隆安五年（401），从荆州从事任上回家探亲，假满再赴江陵在途中有感而作。与《庚子岁五月中从都还阻风于规林》二首写在归家途中思亲心切相对应，本首则写离家别人后的不舍。"如何舍此去，遥遥至西荆"是过渡句，"舍此"的"此"指上文四句中的闲居林园，以诗书自娱的惬意生活。下面的八句是围绕"至西荆"展开，写旅途的景色与心情。诗人因为记挂公事，无心睡眠，只得连夜孤身赶路。他对这种生活是排斥的，而返归之心也越来越强烈。最后六句以议论作结，表明自己的心志：官位爵禄不是他的追求，心头萦绕的仍旧是故乡与耕地。官务缠身和眷恋隐士生活的内心冲突贯穿全诗，但他最终也做出了选择，“养真”和“善名”才是诗人渴望和珍视的。

连雨独饮①

运生会归尽，终古谓之然②。
世间有松乔，于今定何间③？
故老赠余酒，乃言饮得仙④。
试酌百情远，重觞忽忘天⑤。
天岂去此哉？任真无所先⑥。
云鹤有奇翼，八表须臾还⑦。
自我抱兹独，僶俛四十年⑧。
形骸久已化，心在复何言⑨！

【注释】

①此诗作于晋安帝元兴三年（404）。连雨：连日下雨。

②运生：生命之运行。会：当。归尽：指死亡。终古：自古以来。

③松乔：赤松子、王子乔，皆传说中仙人，事见刘向《列仙传》。定何间：究竟在何处？

④故老：老朋友。饮得仙：谓饮下此酒可成神仙。

⑤试酌：初饮。百情：种种世情，杂念。远：远离，忘却。重觞：再饮。忘天：忘记上天的存在。此谓超然物外，近乎自然。

⑥去此：离开这里。任真：听任自然。《庄子·齐物论》郭象注："任自然而忘是非者，其体中独任天真而已。"无所先：没有比这更重要的。

⑦云鹤：云中之鹤，指仙人。八表：八方之外，泛指极远之地。

⑧独：指"任真"。僶俛（mǐn miǎn）：勤勉，尽力。

⑨心在：指"任真"之心依然不变。

【赏析】

根据诗题可知，由于连日下雨，诗人独自一个人在家饮酒，诗中"僶俛四十年"，可知陶渊明到了四十岁的不惑之年，这首诗即写他对人生和命运的感悟。首四句写作者知道生命最终会完结，而传说中的仙人又无迹可寻，于是产生对时间无可奈何的落寞之感。此情无法排遣，诗人便转向饮酒，希望痛饮可以忘却烦恼。但他旋即明白，饮酒暂时地逃避也是无法成仙的，要想做到真正的超然物外，只能反躬自己的内心，做到"任真"，听任自然的造化。"任真"是全诗的诗眼，也是作者多年来秉持的信念。唯有任真之心常在，纵使自己的躯壳老去，内心也不会忧伤。诗中透露出作者旷达冲淡的胸襟，若非真正的隐士是难以企及的。

乙巳岁三月为建威参军使都经钱溪①

我不践斯境，岁月好已积②。

晨夕看山川，事事悉如昔[3]。
微雨洗高林，清飙矫云翮[4]。
眷彼品物存，义风都未隔[5]。
伊余何为者，勉励从兹役[6]。
一形似有制，素襟不可易[7]。
园田日梦想，安得久离析[8]？
终怀在归舟，谅哉宜霜柏[9]。

【注释】

①乙巳岁：晋安帝义熙元年（405）。时刘敬宣为建威将军、江州刺史，陶渊明前往任刘敬宣的参军。钱溪：或即梅根港，在今安徽池州境内。

②践：足履，经由。好（hào）：甚。已积：已经很久。

③悉：都。如昔：如同昔日。

④飙（biāo）：疾风。矫：高举。云翮（hé）：云中鸟也。

⑤品物：景物。义风：好风，和风。

⑥伊：语助词。何为：为何，为什么。勉励：勤苦努力貌。兹役：这种差事。

⑦一形：一身，诗人自指。制：限制，约束。素襟：平素之志向。襟，胸襟。易：改变。

⑧日：每天。离析：分开。

⑨归舟：一作“壑舟”。谅哉：诚然。霜柏：霜中松柏，此喻坚贞之节操胸襟。

【赏析】

这首诗是担任建威将军刘敬宣参军的陶渊明，奉命出使京都，经过钱溪时所作。本诗与《始作镇军参军经曲阿作》和《辛丑岁七月赴假还江陵夜行涂中》三首诗，虽都是写于官事途中，并且诗尾均以归隐之志作结，但本首诗的情绪明显是舒畅欢乐的。可能是诗人多年前曾到过钱溪，此番再次途经，目睹事事如旧，人物俱存，不免心生欢喜。所以看到的是细雨清洗树林，鸟儿凭借飙风展翼，作者轻松自在的心情跃然纸上。但诗的后半部分笔锋突然一转，马上否定这种差役，因为人生有限，不能为了名利辜负素日田园归隐的梦想。表达了诗人想要泛舟归去，寄身于霜柏之下的高洁志向。

还旧居

畴昔家上京，六载去还归[①]。
今日始复来，恻怆多所悲[②]。
阡陌不移旧，邑屋或时非[③]。
履历周故居，邻老罕复遗[④]。
步步寻往迹，有处特依依[⑤]。
流幻百年中，寒暑日相推[⑥]。
常恐大化尽，气力不及衰[⑦]。
拨置且莫念，一觞聊可挥[⑧]。

【注释】

①畴昔：往昔，从前。上京：地名，当距柴桑（今江西九江境内）旧居不远。

②恻怆（chuàng）：凄伤悲痛。

③阡陌：田间小路。不移旧：没有改变旧时样貌。邑屋：村舍。或时非：或有与从前不同。

④履历：脚步经历，行经。周：遍。邻老：邻居老人。罕复遗：很少有活着的。

⑤往迹：过去的踪迹。有处：有些地方。依依：留恋貌。

⑥流幻：流动变幻。百年中：意指人的一生。寒暑日相推：意谓岁月流逝很快。《周易·系辞》："寒暑相推，而岁成焉。"

⑦大化尽：生命结束。大化，由生至死之变化。《列子·天瑞》："人自生至终，大化有四：婴孩也，少壮也，老耄也，死亡也。"气力：体力。不及：不待。衰：衰竭。古人以五十岁为人衰之年。《礼记·王制》："五十始衰。"诗人此时已五十余岁。

⑧拨置：弃置，放在一边。挥：一饮而尽。

【赏析】

本诗标题作《还旧居》，据首句"畴昔家上京，六载去还归"可知作者是六年后，回上京的旧居。诗即写陶渊明在上京故里的见闻和感想。"恻怆多所悲"奠定整首诗的感情基调，第五至第十句写诗人在旧居所见：有如故的阡陌和已变的邑屋。作者围绕着旧居缓步行走，寻访遗老，"步步""依依"体现了他对旧居故人的浓情厚意。陶渊明重回旧地，触旧景生悲情，年近五十的他不由得感慨岁月飞逝，担心生命马上走到尽头。诗人的伟大和独特之处在于，虽然自己年已渐老，大化将至，但他能够“拨置且莫念”，将所有的失落与无奈全装进一杯酒中。诗人洒脱和豪迈的心胸，令人钦佩。

责子

白发被两鬓，肌肤不复实①。
虽有五男儿，总不好纸笔②。
阿舒已二八，懒惰故无匹③。
阿宣行志学，而不爱文术④。
雍端年十三，不识六与七。
通子垂九龄，但觅梨与栗⑤。
天运苟如此，且进杯中物⑥。

【注释】

①被：覆盖。肌肤不复实：肌肤松弛，不再结实。

②五男儿：陶渊明有五个儿子，大名分别叫俨、俟、份、佚、佟，小名分别叫舒、宣、雍、端、通。纸笔：此代指学习。

③二八：即十六岁。故：同“固”。曾本云“一作固”。无匹：无人能比。

④行志学：行将十五岁。《论语·为政》：“子曰：‘吾十有五而志于学。’”文术：读书作文之事。

⑤垂九龄：将近九岁。

⑥天运：天命，命运。杯中物：酒。

【赏析】

陶渊明写过《命子》四言诗和《与子俨等疏》文，这首《责子》诗写作者对五个不合他心意儿子的批评。虽然每个儿子批评的具体内容各不一样：懒惰、不爱文术、不识六与七和但觅梨与栗，陶渊明其实想表达的重点只有一个：不好纸笔，即不爱读书。对五个儿子的描述语言，活泼可爱、妙趣横生。透过诗文，我们看到的不是父亲对儿子的指责，更多感觉到的是对他们率真的爱意和难舍的骨肉之情，同时也可从侧面想见五个孩子顽皮的性格。整首诗的氛围是欢快戏谑的，最后诗人以“天运苟如此，且进杯中物”结尾，面对五个心性顽虐的儿子，他不再挣扎和强求，而是选择饮酒，俨然已经超脱于世外。

归园田居五首

少无适俗韵，性本爱丘山[①]。
误落尘网中，一去十三年[②]。
羁鸟恋旧林，池鱼思故渊[③]。
开荒南野际，守拙归园田[④]。
方宅十余亩，草屋八九间[⑤]。
榆柳荫后檐，桃李罗堂前[⑥]。

暧暧远人村，依依墟里烟⑦。

狗吠深巷中，鸡鸣桑树巅⑧。

户庭无尘杂，虚室有余闲⑨。

久在樊笼里，复得返自然⑩。

【注释】

①适俗韵：适应世俗之意愿。韵，气质，性情。性：禀性，本性。

②尘网：世俗之罗网。

③羁鸟：笼中之鸟。羁，束缚。池鱼：池中之鱼。渊：深潭。

④守拙：保持纯朴自然之本性。

⑤方：方圆，四周。宅：宅屋，宅地。

⑥罗：排列。

⑦暧暧（ài）：昏昧不明貌。依依：轻柔貌。墟里：村落。

⑧汉乐府《鸡鸣行》："鸡鸣桑树巅，狗吠深巷中"。巅：顶端。

⑨虚室：喻心境之空灵。虚，使空虚；室，指心。《庄子·人间世》："瞻彼阕者，虚室生白，吉祥止止。"

⑩樊笼：关鸟兽之笼子。喻世俗社会，尘世生活。

【赏析】

《归园田居》五首是陶渊明辞彭泽县令归隐后第二年写的一组诗。五首诗作为一个整体，从不同角度反映了他归隐之后的田园生活，历来被视为他的代表作品。第一首前六句记录作者弃官归隐的缘由，用"羁鸟"和"池鱼"自比。接下来十二句都是景物描写，集中呈现农村的田园生活场景。"南野""园田""方宅""草屋""榆柳""桃李”“村”“烟”“狗吠”“鸡鸣”“户庭”“虚室”，有植物，有动物；有静有动，有远有近，丰富多彩。语言虽然朴实无华，但为我们勾画出一幅静谧的田园风光图。最后用“久在樊笼里，复得返自然”作结，是对上述隐士田园生活的肯定，表明他重返自然，重获轻松的美好心情。

野外罕人事，穷巷寡轮鞅①。
白日掩荆扉，虚室绝尘想②。
时复墟曲中，披草共来往③。
相见无杂言，但道桑麻长。
桑麻日已长，我土日已广④。
常恐霜霰至，零落同草莽⑤。

【注释】

①野外：郊野，指乡居。罕：少。人事：指世俗交往。穷巷：偏远陋巷。寡：少。轮鞅（yāng）：车轮和马脖套，泛指车马。

②荆扉：柴门。绝尘想：断绝尘世俗念。

③时复：常常。墟曲：偏远村落。曲，隐蔽。披：分开。共来往：此指与村农友好来往。

④日：一天天地。我土：指自己开垦之土地。

⑤霰（xiàn）：雪粒。草莽：草丛。莽，丛生之杂草。

【赏析】

与第一首集中描写田园景致不同，第二首主要写诗人的日常生活。开篇四句写自己少与纷扰的尘世往来，是

“静”，暗示自己的高洁情操。接下来的四句与前四句相对，写自己与农夫交往，他们戴的都是草帽，谈论的是桑麻之类的农事，是“动”，可以看出作者淳朴的社会关系。最后四句写土地和农作物，为桑麻成长，开垦的荒地增多而喜，又为冬天严霜和酷雪摧残庄稼而忧。这种喜乐忧愁正是农村世界最真实的反映。这四句表面是在写景，实际上作者是在含蓄委婉地表明自己的志向与意趣：诗人所关心的已经不是政事、官场和利禄，而是已经转到平常简单的耕作上来。

种豆南山下，草盛豆苗稀①。
晨兴理荒秽，带月荷锄归②。
道狭草木长，夕露沾我衣。
衣沾不足惜，但使愿无违③。

【注释】

①南山：此指庐山。稀：稀疏。

②晨兴：早起。理：整理。秽：杂草。带月：头顶月亮。带，同“戴”。荷：肩扛。

③愿：此指隐居躬耕之愿望。违：违背。

【赏析】

第三首诗主要写诗人早出晚归的劳动生活以及自己的劳作成果。诗人自己在南山下种豆，但却并不十分理想，杂草掩盖了豆苗。但诗人并不介怀，反而乐此不疲，早起去锄草，日落方归。带月而归，夕露沾衣，所有的田园生活，在诗人笔下都是那么美好与惬意，没有丝毫的疲倦与辛苦。充分体现了陶渊明返璞归真，享受归隐生活而怡然自得的心情。最后一句“但使愿无违”表明作者心迹，也点明全诗主旨。诗人不在乎草盛还是苗稀，不介意早出晚归的辛勤劳动，也不爱惜衣裳被露水打湿，只要当下的生活和心境与自己的“愿”——归隐不相违背就好。清新自然的语言描写和崇高旷达的意境营造，使得本诗成为千古名篇。

久去山泽游，浪莽林野娱①。
试携子侄辈，披榛步荒墟②。
徘徊丘陇间，依依昔人居③。
井灶有遗处，桑竹残朽株④。
借问采薪者，此人皆焉如⑤？
薪者向我言，死殁无复余⑥。
一世异朝市，此语真不虚⑦。
人生似幻化，终当归空无。

【注释】

①去：离开，放弃。浪莽：荒废。
②试：姑且。披：分开，拨开。榛（zhēn）：树丛。荒墟：废弃之村落。
③丘陇：坟堆。依依：隐约可辨貌。

④井灶有遗处：意谓昔人居处尚有井灶遗迹。残朽株：残存枯木朽株。

⑤采薪者：樵夫。此人：指往昔居住于此之人。焉如：去往何处?

⑥殁（mò）：死。

⑦一世异朝市：当时成语，意谓经过三十年变迁，朝市已面目全非，变化巨大。一世，古人以三十年为一世。朝市，朝廷和集市，此泛指市井，人们聚集之地。

【赏析】

第四首诗写陶渊明同子侄一道，去林野游玩，探访遗迹时的见闻和感慨。全诗分三部分，前四句为第一部分，交代背景，因为长时间离开了山泽，所以今天步入荒墟。中间八句为第二部分，写诗人在访旧过程中的见闻。虽然废墟中仍然可辨井灶的遗迹，残朽的桑竹也到处可见，但人都已经作古，让人感慨沧海桑田。“借问采薪者，此人皆焉如？薪者向我言，死殁无复余”，好似作者将自己与砍柴之人的对话直接入诗，亲切自然，又毫无雕饰的痕迹。最后四句是第三部分，写作者游历之余的感触。时光荏苒，人生似幻如梦，生命与名利富贵最终都会归于空无。

怅恨独策还，崎岖历榛曲①。
山涧清且浅，可以濯吾足②。
漉我新熟酒，只鸡招近局③。
日入室中暗，荆薪代明烛④。
欢来苦夕短，已复至天旭⑤。

【注释】

①策：策杖，拄杖。历：走过。榛曲：草木丛生曲折荒僻之小路。
②濯（zhuó）：洗。
③漉（lù）：过滤。近局：近邻。局，一作“属”。
④日入：太阳落山。荆薪：柴草。
⑤来：语助词。苦：恨。天旭：天亮。

【赏析】

从“怅恨独策还”句可以看出，本首诗是承接第四首，写林野访旧后的回程。作者的情感又经历了从人生幻化的怅恨到欢快宴饮的转变。首先是归家途中山涧泉水清浅，作者置身这自然美景之中，心情得以平复。回到家中，又用新酿的美酒和佳肴招呼亲朋好友，把轻松自得的心情推向高潮。“日入室中暗，荆薪代明烛”，农村的生活是多么安宁与静谧，这里远离官场的尔虞我诈，只有淳朴和真善。陶渊明和邻居亲友们一起开怀痛饮，共话田园，夜以继日，不知不觉已经天亮，以致作者抱怨夜晚时间太短，不够他们欢娱，足见诗人是真正融入并享受这种平淡朴实的田园生活的。

戊申岁六月中遇火①

草庐寄穷巷，甘以辞华轩②。

正夏长风急，林室顿烧燔③。
一宅无遗宇，舫舟荫门前④。
迢迢新秋夕，亭亭月将圆⑤。
果菜始复生，惊鸟尚未还⑥。
中宵伫遥念，一盼周九天⑦。
总发抱孤介，奄出四十年⑧。
形迹凭化往，灵府长独闲⑨。
贞刚自有质，玉石乃非坚⑩。
仰想东户时，余粮宿中田⑪。
鼓腹无所思，朝起暮归眠⑫。
既已不遇兹，且遂灌我园⑬。

【注释】

①戊申岁：晋安帝义熙四年（408）。

②寄：寄托，依附。穷巷：偏远陋巷。辞：拒绝，告别。华轩：华美之车，此指功名富贵生活。

③林室：树木环绕之房屋。顿：突然。燔（fán）：烧。

④宇：屋檐，泛指房屋。舫（fǎng）：船。荫：遮蔽，遮挡。

⑤迢迢：漫长貌。亭亭：高远貌。

⑥始复生：开始重新生长。惊鸟：被火惊飞之鸟。

⑦中宵：半夜。伫（zhù）：长久站立。遥念：遐想。盼：看。周九天：整个天地。

⑧总发：亦称总角，指童年时代。孤介：孤独耿介，不随波逐流。奄：忽然，突然。出：超出。

⑨形迹：身体，生命。凭：任凭。化：造化，自然。往：变化。灵府：心

灵。《庄子 · 德充符》："不可入于灵府。" 郭象注："灵府者，精神之宅也。"

⑩ 贞刚：坚贞刚直。质：品质，品性。

⑪ 仰想：遥想。东户：东户季子，传说中上古帝王。《淮南子 · 缪称训》："昔东户季子之世，道路不拾遗，耒耜余粮宿诸晦（同亩）首。" 宿：存放。中田：田间。

⑫ 鼓腹：饱食貌。《庄子 · 马蹄》："夫赫胥氏之时，民居而不知所为，行不知所之，含哺而熙，鼓腹而游。" 无所思：无忧无虑。

⑬ 兹：此，指东户季子之世。灌我园：浇灌我的田园。此指隐居躬耕。

【赏析】

本诗作于东晋安帝义熙四年（408），距陶渊明辞去彭泽县令决心归隐已有两年半的时间。不幸的是一场大火把他的屋舍焚毁殆尽，作者只能局促在一条小船上度日。本诗开篇写自己辞官隐居，用草庐寄居于穷巷。后四句写房屋被烧毁。"果菜始复生" 以下六句写作者所见的夜景：新秋月圆，蔬果重生，惊鸟未还，以自然的美景反衬诗人的哀情。遭受火灾之后，诗人愈挫愈坚，认定要坚守往昔的孤介刚贞，力求心灵的闲适自足。全诗并未在此终篇，而是进一步遥想路不拾遗、饱腹而游，无忧无虑的上古帝王时代，重申自己浇灌田园的隐居志向。虽然全诗隐约可见诗人房屋被毁的愁苦情绪，但他更想表达的还是自己矢志不渝的隐居躬耕心性。

己酉岁九月九日①

靡靡秋已夕，凄凄风露交②。
蔓草不复荣，园木空自凋③。
清气澄余滓，杳然天界高④。
哀蝉无留响，丛雁鸣云霄⑤。
万化相寻绎，人生岂不劳⑥！
从古皆有没，念之中心焦。
何以称我情？浊酒且自陶⑦。
千载非所知，聊以永今朝⑧。

【注释】

①己酉岁：晋安帝义熙五年（409）。

②靡靡：犹迟迟。已夕：已晚。凄凄：寒冷貌。

③蔓草：蔓生之草。空自凋：徒然凋零。

④余滓（zǐ）：残余渣滓，指尘埃。杳然：深远貌。

⑤丛雁：犹群雁。丛，聚集。

⑥万化：万物，指宇宙自然。寻绎：反复推求，此为推移、更替之意。劳：劳苦，忧愁。

⑦称（chèn）：适合。陶：喜乐。

⑧永：延长。《诗·小雅·白驹》："絷之维之，以永今朝。"

【赏析】

这首诗作于东晋安帝义熙五年（409），主要写秋季九月九日这一天诗人的所见所想。本诗结构简单，前八句写秋景，后八句抒情。陶渊明是写秋景的高手，在他笔下，蔓草不再茂盛，树叶开始凋零，一片肃杀凄惨的气象。“清气澄余滓，杳然天界高”是写景名句，将秋高气爽描绘得淋漓尽致。哀蝉和丛雁是秋天两种颇具代表性的动物，前者无留响，后者鸣云霄，两句均写声音，但一有一无，前虚后实，搭配巧妙。作者由草木零落，万物更替，联想到人生苦短，终有一死。但他并未消极地沉溺于这种悲伤惆怅中，而是借酒自陶，不去理会千万年之后的事，图乐今朝。可见诗人的心情得到平复，已经从伤秋悲人中超脱出来。

庚戌岁九月中于西田获早稻[1]

人生归有道，衣食固其端[2]。
孰是都不营，而以求自安[3]。
开春理常业，岁功聊可观[4]。
晨出肆微勤，日入负耒还[5]。
山中饶霜露，风气亦先寒[6]。
田家岂不苦，弗获辞此难[7]。
四体诚乃疲，庶无异患干[8]。
盥濯息檐下，斗酒散襟颜[9]。
遥遥沮溺心，千载乃相关[10]。

但愿长如此，躬耕非所叹。

【注释】

①庚戌岁：晋安帝义熙六年（410）。西田：指住宅以西田地。

②归：趋，就。固：本来。端：开始，首要。

③孰：谁。是：这，此指衣食。营：经营，操持。

④常业：日常事务，此指农事。岁功：一年之收成。聊：略，略微。

⑤肆：从事，操作。肆微勤，犹言勤于农务。负耒（lěi）：扛着农具。耒，一作“禾”。

⑥饶：多。风气：此指气候。

⑦弗获：不能，不得。辞：推辞，摆脱。此难：耕作之艰难辛苦。

⑧四体：四肢，代指身体。庶：幸，希冀之词。异患：意外祸患。此指仕途风险或兵凶战厄。干：干涉，侵扰。

⑨盥（guàn）濯：洗涤。盥，洗手；濯，洗脚。散：放开，放松。襟颜：襟怀容颜。

⑩沮溺：长沮、桀溺，古代隐士。参见《癸卯岁始春怀古田舍二首》其二注⑥。乃：竟。相关：相通。

【赏析】

本诗写于东晋安帝义熙六年（410），记录农田生活的辛劳，抒发了愿躬耕毕生的志向。全诗前四句，指明衣食不可或缺的重要性，为下文张本。接下来的十二句便写为了衣食而艰辛劳作，从春天到秋天，从早晨到日落，四肢疲乏。记叙中间杂议论：田家生活这么苦，但是却不能摆脱，只为远离仕途的风险和祸害。“田家岂不苦”以下四句的一问一答和比对，让平淡的记叙顿生起伏，增添了诗的韵味和意趣。“山中饶霜露，风气亦先寒”，显示出陶渊明作为真正的农人，对田野节令的细微感受。“盥濯息檐下，斗酒散襟颜”写出了诗人农忙过后，栖息饮酒的满足和放松心情。最后四句怀想春秋时的隐士长沮和桀溺，千载相关，诗人其实是以他们自比，表达自己隐居的充实与快乐。

移居二首

昔欲居南村，非为卜其宅①

闻多素心人，乐与数晨夕②。

怀此颇有年，今日从兹役③

弊庐何必广，取足蔽床席④。

邻曲时时来，抗言谈在昔⑤。

奇文共欣赏，疑义相与析⑥。

【注释】

①南村：或因其地在浔阳城南郊，故名。卜宅：以卜筮之法选择吉宅。《左传·昭公三年》：“谚云：‘非宅是卜，惟邻是卜。’”

②素心人：心地淳朴淡泊之人。数晨夕：朝夕相处。

③从兹役：从事这件事，此指移居南村。

④弊庐：简陋房屋。蔽：遮蔽，遮盖。

⑤邻曲：邻居。抗言：高谈阔论，说话无所顾忌。在昔：往昔，古代。

⑥奇文：好文章。疑义：疑难问题。

【赏析】

本组诗记叙陶渊明移居到南村之事。第一首诗先用倒叙的手法，说明自己早就想移居南村，但并非看中南村的风水。原因隐伏在三、四两句中：因为那里有很多淳朴淡泊之人可以为邻。句法在平淡中有起伏。五、六句进一步追溯，自己抱有移居的想法很多年了。这两句同时也起到承上启下的作用。前四句是以前的愿望，后六句是搬迁之后的情况。新屋不必宽敞，只要能遮盖住一张睡席，表明诗人在意的并不是这些物质，而是看重与邻友交往时的高谈阔论。“奇文共欣赏，疑义相与析”成为后世的治学名句，从中亦可看出陶渊明读书，并非一味地不求甚解，他只是不拘泥于字句，以免妨害对真义的理解。

春秋多佳日，登高赋新诗。
过门更相呼，有酒斟酌之①。
农务各自归，闲暇辄相思②。
相思则披衣，言笑无厌时③。
此理将不胜，无为忽去兹④。
衣食当须纪，力耕不吾欺⑤。

【注释】

①过门：邻居之间往来。更相呼：相互招呼。斟酌：斟酒饮酒。斟，执壶注酒。酌，饮酒。

②农务：农忙时。辄：每每，总是。

③披衣：意谓披上衣服出门访友。

④此理：意谓与邻居交往之乐趣。将不胜：岂不美好。无为：不要。忽去兹：轻率抛弃它。

⑤纪：经营，料理。不吾欺：即“不欺吾”。

【赏析】

第一首诗写刚移居时的情形，本首诗则主要写移居后如愿以偿，与友人们赋诗饮酒，各自躬耕的快意生活。全诗前八句写与友邻的交往，登高赋诗、相呼酌酒。农忙时各自归家劳作，闲暇时相互思念，兴起便立即披衣造访。陶渊明在南村新居找到志趣相投之人，生活舒心满足。“春秋多佳日，登高赋新诗”，开头平铺直叙，意境却开阔壮大。“过门更相呼”“农务各自归”“相思则披衣”等诗句，像平日间口头语，却能完整贴切地传达诗意，作者遣词造句的功力可见一斑。最后四句议论作结，对上述生活给予充分肯定。力耕田园的志向，诗人乐之终身而不会捐弃。

与殷晋安别并序①

殷先作晋安南府长史掾，因居浔阳②。后作太尉参军③，移家东下，作此以赠。

游好非久长，一遇尽殷勤④。

信宿酬清话，益复知为亲⑤。

去岁家南里，薄作少时邻[⑥]。
负杖肆游从，淹留忘宵晨[⑦]。
语默自殊势，亦知当乖分[⑧]。
未谓事已及，兴言在兹春[⑨]。
飘飘西来风，悠悠东去云。
山川千里外，言笑难为因[⑩]。
良才不隐世，江湖多贱贫[⑪]。
脱有经过便，念来存故人[⑫]。

【注释】

①此诗作于晋安帝义熙七年（411）。殷氏名铁，字景仁，曾任江州晋安郡南府长史掾，故称殷晋安。殷景仁在晋安南府时，住在浔阳，与陶渊明有交往。义熙七年，刘裕任太尉职，辟殷景仁为参军。景仁离浔阳东下时，陶渊明作此诗赠别。参孟二冬著《陶渊明集译注及研究》。

②浔阳：地名，今江西九江市。

③太尉：指刘裕。

④游好：交游、交好。殷勤：情意恳切。

⑤信宿：一宿曰宿，再宿曰信。酬：应对，酬答。清话：谈话不杂世俗，清高之谈。益复：更加。

⑥去岁：去年。薄：语助词，相当于“夫”“且”等。少时：短时。

⑦负杖：倚杖，持杖。《礼记·檀弓下》：“公叔禺人遇负杖入保者。”郑玄注“负杖”曰：“加其杖颈上。”肆：肆意，纵情。游从：相伴同游。淹留：久留，流连忘返。

⑧语默：说话与沉默，代指仕与隐。《周易·系辞》：“君子之道，或出或处，或默或语。”殊势：地位不同。乖分：分离。

⑨未谓：没有想到。事：指分离之事。及：到来。兴：起，动身。言：语助词。

⑩难为因：难于有因缘。

⑪良才：指殷景仁。贱贫：作者自指。

⑫脱：倘若，或许。存：存问，省视。故人：作者自指。

【赏析】

这首诗因送别殷铁移家东下任参军而作。开头八句平铺直叙，采用追忆的形式，回顾了陶渊明与殷铁一见如故，夜谈相亲，后便比邻而居，携杖游乐的往事。作者马上笔锋一转，写二人“语默自殊势，亦知当乖分”，他们虽然相亲无隙，但彼仕我隐，陶渊明把仕途视为尘网和樊笼，避之唯恐不及，殷铁则有为官的宏愿，所以迟早要分道扬镳。虽然志趣不同，却并不妨碍二人交往。离别之际他们难舍难分，诗人不禁遥想殷铁走后，山川为阻，相隔千里，难有机缘一起言笑晏晏了。“良才不隐世，江湖多贱贫”充分表明诗人并不将自己个人归隐的意愿强加给友人，而是求同存异，希望殷铁有机会回来存问老友。这首送别诗，着笔于送别之处不多，作者的感情亦不卑不亢，回忆和憧憬都传达出对友人的真挚友谊。

悲从弟仲德[①]

衔哀过旧宅，悲泪应心零[②]。
借问为谁悲？怀人在九冥[③]。
礼服名群从，恩爱若同生[④]。
门前执手时，何意尔先倾[⑤]。
在数竟不免，为山不及成[⑥]。
慈母沉哀疚，二胤才数龄[⑦]。
双位委空馆，朝夕无哭声[⑧]。
流尘集虚坐，宿草旅前庭[⑨]。
阶除旷游迹，园林独余情[⑩]。
翳然乘化去，终天不复形[⑪]。
迟迟将回步，恻恻悲襟盈[⑫]。

【注释】

①从弟：堂弟。仲德：一作“敬德”，生平事迹不详。

②衔哀：怀着悲哀。衔，含。过：访，探望。应：随着。零：落下。

③怀人：所怀念的人。九冥：九泉幽冥之处。

④礼服：五服亲疏关系。古代按血统亲疏，把服丧礼服分为五个等级，谓之五服。群从：堂兄弟及诸子侄。同生：同胞。

⑤执手：握手告别。倾：倾覆，引申为死亡。

⑥在数：由于天数。数，自然定数，气数，命运。为山：谓建立功业。《论语·子罕》：“譬如为山，未成一篑。”

⑦疚：内心痛苦。二胤（yìn）：两个孩子。胤，子嗣，后代。

⑧双位：夫妻灵位，指仲德与其妻之灵位。委：寄托，放置。

⑨流尘：灰尘。集：聚，落满。虚坐：空座。坐，通“座”。宿草：隔年之草。《礼记·檀弓上》：“朋友之墓，有宿草而不哭焉。”孔颖达疏：“宿草，陈根也，草经一年则根陈也。朋友相为哭一期，草根陈乃不哭也。”后用为悼念亡友之辞。旅：寄生。

⑩阶除：台阶。旷：空，荒废。游迹：行走之踪迹。独：唯有，仅仅。

⑪翳（yì）然：隐蔽貌。乘化去：随造化逝去。终天：终古，永久。

⑫迟迟：此谓不忍离去而行走迟缓之貌。恻恻：悲伤。襟盈：满怀。

【赏析】

这首诗写陶渊明悼念自己的堂弟仲德，仲德的生平事迹不详，作者与他虽然不是亲生兄弟，但如诗中所言“恩爱若同生”，二人交好，从整首诗中流露出的兄弟情谊和悲痛心情可以看出来。“慈母沉哀疚，二胤才数龄”，写从弟上有老母，下有两个稚子，加之“双位委空馆”，夫妻双双都已作古，仲德的家境惨淡，无以复加，怎能不令诗人悲痛生泣。“流尘集虚坐”以下四句，作者寄哀情于景，通过飞尘、荒草、足迹和余情来怀念亲人，虽然没有歇斯底里的放声痛哭，但作者椎心泣血的伤悲，已难隐掩。有人批评“悲泪应心零”“何意尔先倾”等句不加剪裁，随口入诗，破坏全诗意境，殊不知这正是诗人真情实感的直接体现。

答庞参军并序[1]

三复来贶[2]，欲罢不能。自尔邻曲[3]，冬春再交[4]。款然良对[5]，忽成旧游[6]。俗谚云：数面成亲旧。况情过此者乎？人事好乖[7]，便当语离，杨公所叹[8]，岂惟常悲？吾抱疾多年，不复为文。本既不丰[9]，复老病继之。辄依周礼往复之义[10]，且为别后相思之资。

相知何必旧，倾盖定前言[11]。
有客赏我趣，每每顾林园[12]。
谈谐无俗调，所说圣人篇[13]。
或有数斗酒，闲饮自欢然。
我实幽居士，无复东西缘[14]。
物新人惟旧，弱毫多所宣[15]。
情通万里外，形迹滞江山[16]。
君其爱体素，来会在何年[17]？

【注释】

①庞参军：庞通之也，时家柴桑，与先生为邻。

②三复来贶（kuàng）：反复展读所赠之诗。贶，赠，此指赠诗。

③自尔邻曲：自从彼此为邻。尔，如此。邻曲，邻居。

④冬春再交：冬天和春天再次相交。再，第二次。

⑤款然：诚恳貌。良对：愉快交谈。对，对话，交谈。

⑥旧游：老朋友。

⑦好（hào）乖：容易分离，此谓事与愿违。乖，违背。

⑧杨公：战国哲学家杨朱。《淮南子·说林训》："杨子见逵路而哭之，为其可以南，可以北。"高诱注："道九达曰逵，悯其别也。"

⑨本：体质。丰：丰满，强壮。

⑩周礼往复之义：《礼记·曲礼》：“礼尚往来。往而不来，非礼也；来而不往，亦非礼也。”

⑪旧：旧交，旧友。倾盖：两车相遇，乘车之人停车对语，以致车盖倾斜相交。《史记·邹阳列传》：“谚曰：有白头如新，倾盖如故。”意谓有人相互交往到老，却如同陌路新识；有人则一见如故，订为知音。后遂以“倾盖”比喻一见如故。

⑫客：即庞参军。顾：光顾，探访。林园：作者所居之地。

⑬谈谐：谈话和谐。说（yuè）：同“悦”，喜欢。圣人篇：圣贤之书。

⑭幽居士：隐居之人。东西：为求仕而东西奔走。缘：缘分。

⑮物新人惟旧：《尚书·盘庚》：“人惟求旧，器非求旧，惟新。”弱毫：毛笔。多所宣：多多写信。宣，宣泄，表达，此指写信。

⑯此二句意谓：尽管远隔千山万水，但彼此情意相通。滞江山：为江山所阻隔。滞，停留，阻隔。

⑰体素：身体之根本。来会：将来相会。

【赏析】

庞参军是作者的朋友，他的名字和事迹不详。除本首五言外，陶渊明还作过一首四言《答庞参军》。“相知何必旧”表明他们并非旧相识，而是因做了两年邻居，彼此意趣相投才成为朋友。两人一起游赏林园，交谈的都是先贤的佳篇，没有庸俗的论调，共饮同欢，足见二人情谊颇深。“我实幽居士，无复东西缘”，可能庞参军曾婉言规劝陶渊明入世为官，但诗人仍以幽居为志。即便如此，他还是希望庞念及旧人，经常互通书信存问。最后四句作者遥想友人去后，江山隔绝，但他坚信二人的情义哪怕万里之外却也相通。同时诗人勉励朋友爱惜身体，有缘再会，送别时的不舍之情真诚而自然地流露出来。值得一提的是，这首诗的序文写得简洁洗练，可视为一篇绝佳的小品文。

杂诗十二首（选八）

人生无根蒂，飘如陌上尘。
分散逐风转，此已非常身。
落地为兄弟，何必骨肉亲①。
得欢当作乐，斗酒聚比邻②。
盛年不重来，一日难再晨。
及时当勉励，岁月不待人③。

【注释】

①落地：降生于世。
②比邻：近邻。
③待：等待。

【赏析】

陶渊明的《杂诗》一共有十二首，虽非一时一地所作，但整组诗大都抒发对岁月流逝、人生苦短的感慨。这里只选取其中的前八首。本诗是十二首中的第一篇，前四句将人生比作大路上的灰尘，没有根蒂，并且随风飘转。作者无奈于生命的脆弱和飘忽不定。既然如此，做人就应该大度超脱，出生在世上的人便应当成为兄弟，不必是同胞骨肉才能相亲相爱。上下诗句过渡自然，了无痕迹。后六句，诗人进一步思考，时间有限，盛年不会重来，一天也不可有两个早晨，所以要及时行乐，邀邻斗酒。同时又不忘及时发奋勉励，提醒自己不要虚度光阴，老大无成。作者放而能收，没有陷入消极肆意，体现了诗人深深的生命意识。

白日沦西阿，素月出东岭①。
遥遥万里辉，荡荡空中景②。
风来入房户，夜中枕席冷③。
气变悟时易，不眠知夕永④。
欲言无予和，挥杯劝孤影⑤。
日月掷人去，有志不获骋⑥。
念此怀悲凄，终晓不能静⑦。

【注释】

①沦：沉落。西阿（ē）：西山。阿，山丘。素月：明月，皓月。
②荡荡：空旷广远貌。景：同“影”，指月光。
③户：门。夜中：夜半。
④气变：气候变化。悟：意识到。时易：时节改变。永：漫长。

⑤无予和（hè）：即“无和予”，无人与我交流。挥杯：举杯。

⑥掷：抛弃。不获骋：不得施展、发挥。

⑦终晓：彻夜，通宵达旦。静：平静。

【赏析】

本篇在《杂诗》十二首中列次第二，记述的是作者长夜无眠时所见的晚景和因时光飞逝引发的悲伤情绪。“白日沦西阿，素月出东岭”，景色清新自然；“遥遥万里辉，荡荡空中景”，境界辽远开阔，首四句写景，对仗工整，描绘了一幅凄美的夜月图，是不可多得的佳构。晚风吹进房户，半夜枕席冰冷，诗人孤自一人深夜无心睡眠，只好坐起独酌。后四句，作者进一步升华情感，日居月诸，自己的抱负不得施展，念及此处，不免心怀悲凄，彻夜不能平静。全诗或写景，或叙事，或抒情，转换自然顺畅。我们能从中感受到孤寂伤感的诗人内心苦闷又无人倾诉的悲凉落寞情绪。

荣华难久居，盛衰不可量。
昔为三春蕖，今作秋莲房[①]。
严霜结野草，枯悴未遽央[②]。
日月有环周，我去不再阳[③]。
眷眷往昔时，忆此断人肠[④]。

【注释】

①蕖（qú）：芙蕖，荷花。莲房：莲蓬。

②结：凝结。枯悴：枯萎憔悴。遽（jù）：立刻，马上。央：尽，此指枯死。

③环周：循环往复。再阳：再生，复生。《庄子·齐物论》："近死之心，莫使复阳也。"陆德明《释文》："阳谓生也。"

④眷眷：依恋貌。

【赏析】

本篇在《杂诗》十二首中列次第三，主要写陶渊明在深秋因万物由盛转衰，而感伤人世无常，荣华难久。开篇两句直抒胸臆，写荣华难久居，盛衰也无法预知。下面四句写产生此种心结的缘由：因为春天艳丽的荷花现今已结子成为莲房，万事万物都呈现出一片肃杀的气象，严霜摧残了野草，大自然都枯萎憔悴。但是与自然相比，自然万物老死后还会重生，而自己老去后不会再循环复生。诗人触景生情，不禁又想起往昔年轻时的青春岁月，更加让人愁肠寸断。

丈夫志四海，我愿不知老①。
亲戚共一处，子孙还相保。
觞弦肆朝日，樽中酒不燥②。
缓带尽欢娱，起晚眠常早③。
孰若当世士，冰炭满怀抱④。
百年归丘垄，用此空名道⑤。

【注释】

①不知老:《论语·述而》:“发愤忘食，乐以忘忧，不知老之将至云尔。”

②觞弦:饮酒弦歌。肆:陈列。朝日:当作“朝夕”,指终日。樽:酒具。燥:干燥。

③缓带:放松衣带，谓无拘无束，悠游闲暇。

④冰炭:水火不容，此指内心冲突。《淮南子·齐俗训》:“贪禄者见利不顾身，而好名者非义不苟得，此相为论，譬若冰炭钩绳也，何时而合？”

⑤丘垄:坟墓。

【赏析】

本篇在《杂诗》十二首中列次第四，主要表达陶渊明不愿投身官场，甘心平淡的乡村家居生活的愿望。诗中有两处对比：其他人志在四海和自己只愿不知老之将至相对，入世之人时刻受煎熬与自己安然享乐相对，对比之中，诗人的抉择也突现出来。本诗的精彩之处在于，作者将隐居生活描绘得如此美好：亲戚一处，子孙相保，整日纵情管弦和宴酒。衣带宽松，起晚眠早，尽情欢娱，令人无限向往。可见诗人真正享受这种无拘无束，悠闲自在的田园生活。最后两句“百年归丘垄，用此空名道”，陶渊明认为人死之后都将归于尘土，所以不愿去汲汲于所谓的空名，体现了诗人的高尚节操。

忆我少壮时，无乐自欣豫①。

猛志逸四海，骞翮思远翥②。

荏苒岁月颓，此心稍已去③。
值欢无复娱，每每多忧虑④。
气力渐衰损，转觉日不如⑤。
壑舟无须臾，引我不得住⑥。
前途当几许？未知止泊处⑦。
古人惜寸阴，念此使人惧。

【注释】

①无乐自欣豫：没有高兴事内心也很快乐。欣豫，欣喜，愉快。

②猛志：雄心壮志。逸：超越。骞翮（hé）：展翅高飞。骞，飞举。翮，鸟翅。翥（zhù）：飞翔。

③颓：下坠，落下。

④值欢无复娱：与“无乐自欣豫”相对应，意谓遇到值得高兴之事，内心也不感到愉快。

⑤日不如：一日不如一日。

⑥壑舟：《庄子·大宗师》：“夫藏舟于壑，藏山于泽，谓之固矣。然而夜半，有力者负之而走，昧者不知也。”比喻事物在不断变化，不可固守。

⑦止泊处：停船之处，此指人生归宿。

【赏析】

本篇在《杂诗》十二首中列次第五，全诗可以分为过去、现在和未来三个部分。前四句为第一部分，是作者追忆自己年轻力壮之时，志向高远，没有高兴的事也会感到快乐，表明陶渊明有雄心壮志，想建立一番功业。五、六两句过渡，随着岁月荏苒，心志也逐渐发生变化。接下来的四句是第二部分，描述诗人当时的心境：与年少时不同，现在遇到乐事也欢娱不起来，反而经常忧虑，气力也慢慢衰减。于是诗人感慨世事变迁，时间无法停留，人生也不可能永久。“前途当几许？未知止泊处。古人惜寸阴，念此使人惧”是第三部分，写诗人对未来前景的担忧。整首诗忧郁不展，表现了诗人对人生易老和时光流逝的感伤和无奈。

昔闻长老言，掩耳每不喜①。
奈何五十年，忽已亲此事②。
求我盛年欢，一毫无复意③。
去去转欲远，此生岂再值④。
倾家时作乐，竟此岁月驶⑤。
有子不留金，何用身后置⑥！

【注释】

①长老言：老人回忆往事。陆机《叹逝赋》序：“昔每闻长老追计平生，同时亲故，或凋落已尽，或仅有存者。”

②亲此事：亲历此事。

③一毫无复意：即“无复一毫意”，意谓不再有丝毫当初欢乐之心境。

④值：遇到，相逢。

⑤倾家：倾尽家中财物。竟：完，了结。驶：流逝。

⑥有子不留金：用汉代疏广事。《汉书·疏广传》载：疏广官至太傅，后辞归乡里，以所受金每日设宴款待亲朋。别人劝他留些金钱为子孙置田产，他说：“吾岂老悖不念子孙哉？顾自有旧田庐，令子孙勤力其中，足以共衣食，与

凡人齐。今复增益之以为赢馀，但教子孙怠堕耳。贤而多财，则损其志；愚而多财，则益其过。且夫富者，众人之怨也；吾既亡以教化子孙，不欲益其过而生怨。又此金者，圣主所以惠养老臣也，故乐与乡党宗族共飨其赐，以尽吾馀日，不亦可乎！”

【赏析】

本篇在《杂诗》十二首中列次第六，前四句写年轻时不喜欢听老人回忆往事，没想到自己马上到了五十岁，也成了喜欢追忆的老人。这几句诗像口语，平淡寡味，却又不失亲切。并且用简单的事例讲述人生哲理，让人感同身受。中间四句写对时光的留恋，感叹人生易老。再也回不到盛年欢娱之时，美好的时光已经远去，不会再重来，作者在字里行间流露的无奈与惋惜，我们也能感受到。于是作者打算倾其所有，饮酒作乐，紧追岁月的脚步。最后两句，诗人学习汉代的疏广，不打算给子孙留家产，所以更加不会去管身后之事，表达了陶渊明放达洒脱的情怀。

日月不肯迟，四时相催迫①。
寒风拂枯条，落叶掩长陌。
弱质与运颓，玄鬓早已白②。
素标插人头，前途渐就窄③。
家为逆旅舍，我如当去客④。
去去欲何之，南山有旧宅⑤。

【注释】

①迟：缓行，放慢速度。

②弱质：虚弱体质。与运颓：随时运而衰颓。玄：黑。

③素标：白色标记，此指白发。就：趋，归。

④逆旅舍：迎宾客店。逆，迎。《列子·仲尼篇》："处吾之家，如逆旅之舍。"

⑤之：往。南山：庐山。旧宅：此指陶氏墓地。作者《自祭文》："陶子将辞逆旅之馆，永归于本宅。"

【赏析】

本篇在《杂诗》十二首中列次第七，亦写因岁月易逝，身心衰颓而触发的感伤情绪。开头两句，将日月和四时拟人化，前者不肯放慢速度，后都又交相催迫，难怪人容易衰老。三、四句写景，"寒风拂枯条，落叶掩长陌"，一片秋日萧瑟之状，以景衬情。五、六句回归诗人自身，体质虚弱又加时运不济，两鬓早已斑白，加之前途渺茫，陶渊明的可怜形象跃然纸上。最后四句，诗人将家视为旅舍，把自己看成过客，富有哲理。选择南山旧宅作为最终归宿，体现了陶渊明心胸豁达，不拘于形骸的清空与超脱。

代耕本非望，所业在田桑①。
躬亲未曾替，寒馁常糟糠②。
岂期过满腹，但愿饱粳粮③。

御冬足大布，粗絺以应阳[4]。
正尔不能得，哀哉亦可伤[5]。
人皆尽获宜，拙生失其方[6]。
理也可奈何，且为陶一觞。

【注释】

①代耕：以官俸代替种田收入，即当官食俸禄。《孟子·万章下》："下士与庶人在官者同禄，禄足以代其耕也。"

②躬亲：亲自，此指亲自农耕。替：废弃。馁：饥饿。糟糠：酒糟和谷糠，指粗劣食物。

③过满腹：吃得过饱。《庄子·逍遥游》："偃鼠饮河，不过满腹。"粳（jīng）：粳稻，大米。

④大布：粗布。絺（chī）：葛布。应：遮挡。阳：夏日骄阳。

⑤正尔不能得：仅仅这些亦不可得。

⑥尽获宜：各得其宜，各得其所。拙：自谓。生：生计。方：方法。

【赏析】

本篇在《杂诗》十二首中列次第八，写陶渊明归隐力耕，但却难以养家糊口的无奈之情。首二句开门见山，写自己不倾心于官场俸禄，而专注于种田采桑，表明他弃官归隐的坚定态度。承接的六句诗写躬耕艰辛和收获微少。即便从没停止劳动，但还是时常受冻挨饿，饥寒交迫。诗人甘于穷苦，对物质要求不高，不曾期望富足有余，只要能有粮食果腹，冬天有粗布御寒，夏天有衣服抵挡骄阳而已。但是即便如此低的要求，也不能满足。完全不似《和郭主簿》二首中“园蔬有余滋，旧谷犹储今”时的富足。隐居不仕必然会碰到残酷的现实问题。作者无可奈何，只能寄情于酒中，陶然一醉。

和刘柴桑[1]

山泽久见招，胡事乃踌躇[2]？
直为亲旧故，未忍言索居[3]。
良辰入奇怀，挈杖还西庐[4]。
荒涂无归人，时时见废墟。
茅茨已就治，新畴复应畬[5]。
谷风转凄薄，春醪解饥劬[6]。
弱女虽非男，慰情良胜无[7]。
栖栖世中事，岁月共相疏[8]。
耕织称其用，过此奚所须[9]。
去去百年外，身名同翳如[10]。

【注释】

①刘柴桑：名程之，字仲思，彭城（今江苏徐州）人，曾做过柴桑县令，故称。入宋后隐居不仕，人又称之刘遗民。他与周续之、陶渊明被称为“浔阳三隐”。

②山泽：山林水泽，即隐居之地。此指刘遗民劝作者隐居庐山。胡事：何事。踌躇：犹豫。

③直：只。索居：离群独居。

④奇怀：脱俗之胸襟。挈（qiè）杖：持杖，提杖。挈，提。西庐：陶渊明在柴桑上京里之旧居，因在九江西南，故称“西庐”。

⑤茅茨（cí）：茅屋。茨，以芦苇、茅草覆盖屋顶。治：修整。新畴：新田。畬（yú）：开垦过三年之旧田。《尔雅·释地》：“田，一岁曰菑（zī），二岁曰新田，三岁曰畬。”

⑥谷风：东风。凄薄：寒意逼人。薄，迫。春醪（láo）：春酒。劬（qú）：疲劳。

⑦弱女虽非男：此句有两解：一谓刘柴桑无子，故有此说；一谓“弱女”喻薄酒。

⑧栖栖：忙碌不安貌。疏：疏远。

⑨称：符合，适合。须：要求，需求。

⑩去去：岁月渐渐流逝。百年外：死后。翳（yì）如：隐没，消失。

【赏析】

刘程之，曾任柴桑县令，与陶渊明和周续之合称“浔阳三隐”，除本诗外，陶渊明还有《酬刘柴桑》一首。刘程之隐居庐山，曾多次招陶渊明同隐。陶渊明虽然前去拜访刘程之，但没有答应他一道归隐的提议，而是还归西庐。本诗的前六句便交代事情缘起。诗人返家是挂记亲友，所以不能像刘程之一样遁入佛门。后四句记录归家途中所见的景致。“栖栖世中事”以下四句，写明作者当下的心理状态，仕宦生活已经远去，他只醉心于耕织。最后两句发出感慨，与《杂诗》第四首末“百年归丘垄，用此空名道”句内容和结构相似，均表达一种对人生和名利超脱的情怀。

酬刘柴桑

穷居寡人用，时忘四运周①。

空庭多落叶，慨然知已秋。

新葵郁北墉，嘉穟养南畴②。

今我不为乐，知有来岁不③？

命室携童弱，良日登远游④。

【注释】

①穷居：偏僻之住处。人用：人事应酬。四运：四时运行。周：周而复始，循环。

②葵：冬葵，一种蔬菜。郁：繁盛貌。墉（yōng）：城墙，高墙。墉，一作“牖”（yǒu），意为窗户。穟：同“穗”。畴：田地。

③不：同“否”。

④室：妻室。童弱：子侄等。登远游：实现远游。登，成也。

【赏析】

这首诗虽题作《酬刘柴桑》，但全首只写了陶渊明自己的情感与抱负，没有论及友人。首二句“穷居寡人用，时忘四运周”，同他其他许多诗篇一样，直接说明当下的处境。接下来四句写秋景，虽然落叶知秋，但诗人一反悲秋常态，写“新葵郁北墉，嘉穟养南畴”，完全一片欣欣向荣的景象。面对这大好风光，作者让妻子提携幼童，一道登高远游，不辜负这良辰美景。倘若现在不及时行乐，世事变幻无常，明年可能就不会有机会了。诗人在诗中流露出的还是对时间和人生一贯的无可奈何。“今我不为乐，知有来岁不”，也许是陶渊明想通过这首酬和诗向挚友刘程之传达的心意。

丙辰岁八月中于下潠田舍获①

贫居依稼穑，勠力东林隈②。
不言春作苦，常恐负所怀③。
司田眷有秋，寄声与我谐④。
饥者欢初饱，束带候鸣鸡⑤。
扬楫越平湖，泛随清壑回⑥。
郁郁荒山里，猿声闲且哀⑦。
悲风爱静夜，林鸟喜晨开⑧。
曰余作此来，三四星火颓⑨。
姿年逝已老，其事未云乖⑩。
遥谢荷蓧翁，聊得从君栖⑪。

【注释】

①丙辰：晋安帝义熙十二年（416）。下潠（sùn）：溢水下泛之地。《一切经音义》引《通俗文》：“水湓（pén，水向上涌）曰潠。”

②稼穑（sè）：耕种与收获，泛指农业劳动。勠（lù）力：勉力。东林隈（wēi）：地名。隈，山水等弯曲处，角落。

③春作：春耕。负所怀：辜负归隐躬耕之初衷。

④司田：本为管农事之官名，此指为陶渊明管理田庄之人。眷：顾之深也。有秋：秋收，收获。《尚书·盘庚》："若农服田力穑，乃亦有秋。"寄声：托人带口信。谐：和合。

⑤束带：束好衣带，即穿好衣服。鸣鸡：天亮。

⑥扬楫：举桨划船。泛：泛舟。壑：山沟。

⑦郁郁：草木繁盛貌。闲：大。

⑧悲风：凄厉之秋风。爱静夜：意谓好在静夜中呼啸。

⑨作此：意指归隐力耕。三四星火颓：经历了十二年。三四，十二。星火，即火星。颓，下移；夏历五月，火星出现于正南方，六月以后偏西，入秋后更低向西方，故曰"颓"。

⑩姿年：姿容与年龄。其事：农耕之事。乖：违背，背弃。

⑪荷蓧翁：见《癸卯岁始春怀古田舍二首》其一注⑦。栖：止息，居住。

【赏析】

这首诗作于东晋安帝义熙十二年（416），距陶渊明义熙元年（405）辞彭泽县令归隐已逾十二载，诗中"三四星火颓"也是佐证。诗题写秋天丰收，其实诗文中未见收获字句，但"饥者欢初饱，束带候鸣鸡"二句，描写挨饿的人已经吃饱饭，一早起来整齐衣装等候鸡叫，已从侧面表达了丰收。作者将笔墨集中在写景上面，"扬楫越平湖"以下六句，写自己泛舟湖中，聆听荒山猿哀，加上静夜秋风、林鸟晨鸣，丝毫感受不到耕种的辛苦，反倒描摹出一幅田野揽胜图。写景之后，又继以抒情，想到自己从事劳作已经十二年，虽然年已渐老，但隐居的初衷未泯。所以作者仍然向古代的荷蓧丈人致敬，希望紧随他的脚步。

示周续之祖企谢景夷三郎[①]

负痾颓檐下，终日无一欣[②]。
药石有时闲，念我意中人[③]。
相去不寻常，道路邈何因[④]？
周生述孔业，祖谢响然臻[⑤]。
道丧向千载，今朝复斯闻[⑥]。
马队非讲肆，校书亦已勤[⑦]。
老夫有所爱，思与尔为邻。
愿言诲诸子，从我颍水滨[⑧]。

【注释】

①周续之：字道祖，博通五经，入庐山事释慧远，与刘遗民、陶渊明号称“浔阳三隐”。祖企、谢景夷：据萧统《陶渊明传》所记，二人皆为州学士。三郎：即三人。郎，对男子之尊称。

②痾（kē）：病。颓檐：破败房屋。欣：欢喜。

③药石：即药物。闲：通“间”，间断。意中人：指周续之等三人。

④不寻常，言不近也。寻常：古代计量单位，八尺为寻，倍寻为常。邈：遥远。

⑤周生：即周续之。述孔业：传授孔孟儒教。周续之尝于安乐寺讲《礼》

月余，与诸生辩析精奥。见《宋书》续之传。祖谢：祖企、谢景夷。响然臻（zhēn）：谓应声而至。孔融《荐祢衡表》有“群士响臻”句。

⑥道：孔孟之道。向：将近。复斯闻：即“复闻斯”。斯，这，指“道”。

⑦马队：养马之处。讲肆：讲堂，讲舍。校（jiào）书：校对、订正书籍。时续之与祖谢二人在城北讲《礼》，加以雠校，所住公廨近马队，故云。

⑧诲：劝说，教育。颍水滨：晋皇甫谧《高士传》记载，传说尧时有隐士许由，隐居于颍水之滨，箕山之下，尧召其做官，许由不愿听，洗耳于颍水。陶此诗意在以隐居相召。

【赏析】

本首与陶渊明其他诗作不同，这是一首纯粹的叙事诗。东晋安帝义熙十二年（416）刘裕北征后秦，世子刘义符留守建康，刘义符延请周续之、祖企、谢景夷三人于安乐寺讲《礼记》，但他们却住在马队旁边，所以诗人嘲讽道“马队非讲肆，校书亦已勤”。开篇写自己抱病破屋之下，终日没有一点笑颜，于是想念三位友人。虽然陶称赞三人讲述孔子的儒道，将沦丧千年的道统恢复，但是作者认为统治者并非真正重用他们，所以先扬后抑。最后善意招揽他们与自己一道归隐，比邻而居，这才是写这首诗的目的。同时也在规劝中向我们吐露诗人自己愿意效法古代隐士许由，终身不做官的志向。

赠羊长史并序

左军羊长史，衔使秦川[①]，作此与之。

愚生三季后，慨然念黄虞[②]。
得知千载上，正赖古人书[③]。
贤圣留余迹，事事在中都[④]。
岂忘游心目，关河不可逾[⑤]。
九域甫已一，逝将理舟舆[⑥]。
闻君当先迈，负痾不获俱[⑦]。
路若经商山，为我少踌躇[⑧]。
多谢绮与角，精爽今何如[⑨]？
紫芝谁复采？深谷久应芜[⑩]。
驷马无贳患，贫贱有交娱[⑪]。
清谣结心曲，人乖运见疏[⑫]。
拥怀累代下，言尽意不舒[⑬]。

【注释】

①左军：左将军朱龄石。羊长史：羊松龄，当时为左将军长史。长史，将军之属官，掌理幕府事宜。衔使：奉命出使。秦川：关中地区。义熙十三年(417)，太尉刘裕伐秦，破长安，秦主姚泓诣建康，受诛，时左将军朱龄石为遣长史羊松龄往关中称贺。

②愚：自谦之辞。三季：夏、商、周三代之末。《汉书·叙传下》："三季之后，厥事放纷。"颜师古注："三季，三代之末也。"黄虞：黄帝、虞舜。

③千载上：千年以上之事。赖：依赖，依靠。

④余迹：犹遗迹。中都：中州，指洛阳、长安一带之中原地区。

⑤游心目：游心纵目。关河：关隘河流。逾：越过。

⑥九域：九州，指全国。甫：开始。一：统一。逝：发语词。理舟舆：整顿车船，准备出发。

⑦先迈：先行。负痾（kē）：抱病。不获俱：不能同往。

⑧商山：地名，在今陕西商洛。踌躇：驻足，停留。

⑨绮与甪（lù）：指绮里季和甪里先生。甪亦作“角”。他们同东园公、夏黄公为避秦乱隐居商山，被称为“商山四皓”（事见晋皇甫谧《高士传》）。精爽：精神，魂魄。《左传·昭公二十五年》：“心之精爽，是谓魂魄。”

⑩紫芝：真菌之一种，似灵芝。传说四皓在商山隐居时常采而充饥。

⑪贳（shì）：赦免，宽纵。交：两相接触，相逢。娱：快乐之事。隋释智匠《古今乐录》载，四皓隐于商山，作歌曰：“莫莫高山，深谷逶迤，晔晔紫芝，可以疗饥。唐虞世远，吾将何归？驷马高盖，其忧甚大。富贵之畏人兮，不如贫贱之肆志。”

⑫清谣：清新歌谣，即四皓所作歌。结心曲：牢记于内心深处。乖：背离。

⑬拥怀：积累于胸中。累代：许多代。意不舒：意未尽。舒，伸展。

【赏析】

东晋安帝义熙十三年（417），刘裕伐后秦，攻破长安，驻军关中，左将军朱龄石派遣长史羊松龄赴关中庆贺，陶渊明写下此首诗相赠。与一般的赠别诗主要写远行之人和离别不同，这首诗全部是在写诗人自己。前十二句，诗人将关中平定巧妙地与自己平生志愿结合在一起，讲明自己留心长安一带夏商周时代的圣贤遗迹。“闻君当先迈”以下四句过渡，如果羊长史途经商山，希望为我凭吊“商山四皓”，实则是借此表明自己隐居不仕的决心。“驷马无贳患，贫贱有交娱”，再次将做官与归隐对比，即使刘裕已取得军事上的巨大胜利，诗人仍然无动于衷，坚守自己的志愿。所以这首诗表面是赠送羊松龄出使秦川，实际上是借事抒己怀。

饮酒二十首并序

余闲居寡欢，兼秋夜已长，偶有名酒，无夕不饮。顾影独尽，忽焉复醉①。既醉之后，辄题数句自娱②。纸墨遂多，辞无诠次③。聊命故人书之，以为欢笑尔。

衰荣无定在，彼此更共之④。
邵生瓜田中，宁似东陵时⑤。
寒暑有代谢，人道每如兹⑥。
达人解其会，逝将不复疑⑦。
忽与一觞酒，日夕欢相持⑧。

【注释】

①顾影：看着自己的身影。独尽：独自干杯。忽焉：很快地。

②辄：往往，总是。

③诠（quán）次：选择和编次。

④衰荣：衰败与繁荣。无定在：无定数。更：交替，更迭。

⑤邵生：即邵平。《史记·萧相国世家》载，邵平秦时为东陵侯，秦亡后为平民，因家贫而种瓜于长安城东，前后处境截然不同。

⑥代谢：更替。人道：人世。

⑦达人：通达事理之人。会：指理之所在。逝：假借为“誓”。

⑧忽：尽快。觞：酒杯。持：拿着。

【赏析】

《饮酒》二十首是陶渊明归隐后所作的组诗，据本组第十九首“亭亭复一纪”可知诗人作诗时已经六十六岁，辞官归隐多达十二年之久。依据序文，本组诗是陶渊明秋天醉酒后所写，虽然题作《饮酒》，但其实诸多篇目根本没有写到酒；涉及酒的诗文中，酒也只占很少的内容。可见诗人醉翁之意不在酒，主要是借酒抒怀。这首诗是组诗的第一首，前两句写衰败和繁荣没有定数，三、四句便引用秦汉时的邵平作为例证。寒来暑往，自然在不断地代谢，人世间也不会例外。诗人从人生和自然两方面表述衰荣无定的道理，只有通达的人才会理解，陶渊明显然已经有所领悟，于是他回归到饮酒，“忽与一觞酒，日夕欢相持”。可见，诗人虽然是写酒，实际上与他的许多诗篇一样，仍然在表达对人世变迁、时光不再的惋惜之情。

积善云有报，夷叔在西山①。
善恶苟不应，何事空立言②？
九十行带索，饥寒况当年③。
不赖固穷节，百世当谁传④。

【注释】

①有报：有报应，此指善报。夷叔：伯夷、叔齐，商朝孤竹君二子。周灭

商后，二人耻食周粟，隐于首阳山，采薇（一种野菜）而食，最后饿死。见《史记·伯夷列传》。西山：即首阳山。

②苟：如果。何事：为什么。立言：树立格言。《史记·伯夷列传》："或曰：'天道无亲，常与善人。'若伯夷、叔齐，可谓善人者非耶？积仁洁行如此而饿死！"

③九十行带索：《列子·天瑞》载隐士荣启期家贫，行年九十，以绳索为衣带，鼓琴而歌，能安贫自乐。况：甚，更加。当年：壮年。

④固穷节：甘居穷困，不失气节。《论语·卫灵公》："子曰：'君子固穷，小人穷斯滥矣。'"

【赏析】

本诗是《饮酒》组诗的第二首，这首诗可能是饮酒后作，但通篇没有一个酒字，也无与酒相关的丝毫细节描写，是一首典型的咏古述怀诗。作者引用伯夷、叔齐隐居西山，义不食周粟而饿死的典故，质疑善有善报的格言；又引用荣启期九十高龄还以绳索为衣带的贫困处境，继续证明善有善报是虚言。这显然是酒醉之后，抒发内心的愤懑不平之气。但是诗人结尾文笔一转，"不赖固穷节，百世当谁传"，对上述隐居之士加以赞扬，如果不是伯夷、叔齐和荣启期固守节操，几百年后，怎么会流传他们的美名呢？足见作者还是坚信"贫贱不能移"的高尚志向。

道丧向千载，人人惜其情①。

有酒不肯饮，但顾世间名②。

所以贵我身，岂不在一生？

一生复能几？倏如流电惊[3]。

鼎鼎百年内，持此欲何成[4]？

【注释】

①道：谓率真自然之本性。向：将近。惜其情：吝惜心之所好，意谓只顾恋虚名。

②世间名：世俗之虚名。

③复能几：又能有多久。几，几何，几多时。倏（shū）：迅疾貌。流电：闪电。

④鼎鼎：扰攘貌。此：指“世间名”。

【赏析】

本诗是《饮酒》组诗的第三首，诗人以议论为诗，旨在向世人传达返璞归真，饮酒存真的道理。“道丧向千载，人人惜其情”中的“道”特指率真自然的本性，“情”指真善的性情。人只顾尘世的虚名，所以才不肯去饮酒，又因为生命可贵，所以格外爱惜身体。但在作者眼中，人生如闪电，稍纵即逝，无法长久。无论怎样吝惜，也难逃一死，完全没有必要为了荣华富贵去抛弃自己的真性情。反不如饮酒行乐，用超脱的心态去面对。诗中作者将“道”和“情”与“世间名”相对，在百年易逝的人生之中，诗人选择了遵从自己的天性，饮酒自娱，表现了他知足常乐，不钻营名利的情操。

栖栖失群鸟，日暮犹独飞[①]。
徘徊无定止，夜夜声转悲。
厉响思清远，去来何依依[②]。
因值孤生松，敛翮遥来归[③]。
劲风无荣木，此荫独不衰。
托身已得所，千载不相违。

【注释】

①栖栖：不安貌。
②厉响：谓鸣声激越。依依：思恋貌。
③值：遇。敛翮：敛翅停飞。

【赏析】

本诗是《饮酒》组诗的第四首，全诗与酒无关。此诗的独特之处在于，作者以离群的飞鸟自状。前六句写焦愁的离群飞鸟，日暮独自飞翔，徘徊于栖息之所，而且叫声凄厉。读毕令人生悲。但这只鸟儿亦有自己的志向，它鸣声激越清远，来回不忍离开，是想找一个好的归宿。后六句写飞鸟终于找到一棵孤松，在树阴下安巢。松树贞且直，在草木枯萎的冬天，它仍然没有凋零，象征隐士所向往的节操。“托身已得所，千载不相违”，说明诗人享受当下的归隐生活，而且永远不会违弃。这首诗节奏紧凑，似一气呵成，作者好像在诗文之外，但其感情和意愿又无不显露在字里行间。

结庐在人境，而无车马喧[①]。
问君何能尔？心远地自偏[②]。
采菊东篱下，悠然见南山[③]。
山气日夕佳，飞鸟相与还[④]。
此中有真意，欲辨已忘言[⑤]。

【注释】

①结庐：建造房屋。人境：人间，人世。车马喧：车马往来之喧闹声。此指世俗应酬。

②尔：如此，这样。心远：内心清静，超脱世俗。偏：偏僻，偏远。

③悠然：闲适自得貌。南山：庐山。

④山气：山间云气。日夕：黄昏。相与还：结伴归巢。

⑤真意：淳真自然之意。《庄子·渔父》："真者，所以受于天也，自然不可易也。故圣人法天贵真，不拘于俗。"辩：辩析，玩味。《庄子·齐物论》："辩也者，有不辩也，大辩无言。"忘言：《庄子·外物》："言者所以在意，得意而忘言。"此二句涉及魏晋玄学言意之辩，意谓从大自然得到启发，领悟到人生真谛，但这无法用言语表达，也无须用言语表达。

【赏析】

本诗是《饮酒》组诗的第五首，历来为人们所称赞。首四句叙事，"结庐在人境，而无车马喧"，让人好奇，为全诗埋下伏笔。三、四句自问自答。"心远"二字可视为诗眼，就是因为心远，远离功名利禄，才能在闹市之中都感觉不到车马的喧哗。五至八句写景，"采菊东篱下，悠然见南山"，是千古名句，它的绝妙之处在于文辞平淡，但意境悠远。“悠然”二字将诗人闲适自得，物我两忘的心境表现出来。“山气日夕佳，飞鸟相与还”描绘南山风景，是此时诗人心情在景观上的映射。最后两句，富有哲理，“真意”是陶渊明个人最真实的体会和感悟，无法用语言来表达，也不需要去辨明。这种不求甚解为诗歌留下了言说不尽的余韵。

行止千万端，谁知非与是。
是非苟相形，雷同共誉毁①。
三季多此事，达士似不尔②。
咄咄俗中愚，且当从黄绮③。

【注释】

①苟：如果。相形：互相比较。雷同：人云亦云。《礼记·曲礼上》：“毋剿说，毋雷同。”郑玄注：“雷之发声，物无不同时应者，人之言当各由己，不当然也。”《楚辞·九辩》：“世雷同而炫曜兮，何毁誉之昧昧！”

②三季：夏商周三代之末期。达士：明达之人。尔：那样。

③咄咄（duō）：惊怪声。俗中愚：世俗愚者。黄绮：夏黄公与绮里季，代指“商山四皓”。

【赏析】

本诗是《饮酒》组诗的第六首，诗人感慨世人是非不分，雷同毁誉，自己从这些是非中抽身出来，超乎尘世之外。首句写人的行为有千万种，其中的功过是非不容易评论。后两句指明缘由：因为世人多人云亦云的雷同，共同对是非加以毁誉。并进一步举出例证，夏商周三代的末期便是这样，这里有影射时政之意。只有明达之人才能免此俗套，所以诗人选择学习“商山四皓”这些高尚的隐士，任由那些世俗愚人指责自己弃官归隐，不谙世事。表达自己想超越是非，甘愿隐居不问尘世的志向。另外，《赠羊长史》中“多谢绮与甪”，用绮里季和甪里先生指代四皓，此处则用另二人指代，可见陶渊明力避重复的用心与善于剪裁的才能。

秋菊有佳色，裛露掇其英①。
泛此忘忧物，远我遗世情②。
一觞虽独进，杯尽壶自倾③。
日入群动息，归鸟趋林鸣④。
啸傲东轩下，聊复得此生⑤。

【注释】

①裛（yì）：通“浥”，沾湿。掇（duō）：采摘。英：指菊花。

②泛此：漂浮菊花，即以菊花泡酒中。忘忧物：酒。《文选》卷三十李善注：“《毛诗》曰：‘微我无酒，以遨以游。’毛苌曰：‘非我无酒，可以忘忧。’潘尼《秋菊赋》曰：‘泛流英于清醴，似浮萍之随波。’”遗世情：遗弃世俗之情怀。

③进：饮酒。壶自倾：由酒壶往杯中续酒。

④群动：各类动物。息：歇息，停息。趋林：飞向林中。

⑤啸傲：狂放无拘束。轩：窗。此生：指此生之乐。

【赏析】

本诗是《饮酒》组诗的第七首，写诗人赏菊饮酒，狂放无拘的生活状态。菊花是陶渊明钟意的植物，许多诗篇中都写有菊花。起句“秋菊有佳色”，只用一简单的“佳”字将菊花的高洁形象呈现出来。作者以菊花自喻，故采以饮酒。接下来的四句便写饮酒，诗人称酒为“忘忧物”，饮完之后可遗弃世俗的情怀。一人独酌，将壶中的酒全部喝完，“壶自倾”惟妙惟肖地写出了诗人喝醉之后将酒壶打翻的场景。“日入群动息，归鸟趋林鸣”二句写景，反映了生活的无限平静美好。“日入”和上文的“裛露”点明时间，作者从早到晚，饮酒终日。“啸傲东轩下，聊复得此生”作结，反映了诗人闲逸自得之情。

青松在东园，众草没其姿。
凝霜殄异类，卓然见高枝①。
连林人不觉，独树众乃奇②。
提壶挂寒柯，远望时复为③。
吾生梦幻间，何事绁尘羁④！

【注释】

①凝霜：凝结之霜露。殄（tiǎn）：灭。卓然：高挺貌。见：同“现”，显露。

②连林：树木相连成林。乃：才。

③壶：酒壶。柯：树枝。远望时复为：“时复为远望”之倒，意谓时时向

远处眺望。

④何事：为什么。绁（xiè）：束缚，捆绑。尘羁：尘世之羁绊。

【赏析】

本诗是《饮酒》组诗的第八首，上一首写菊花，这一首写松树。前六句咏松，讲述了一个简单却耐人寻味的哲理。春夏之时，杂草掩盖了青松的奇姿，经过严霜酷雪，其他草木凋落，青松的卓然高姿才突显出来。正如诗人所说“连林人不觉，独树众乃奇”，高压严酷的恶劣环境之下，仍能独树一帜，才能让人称叹。松树的品质正是诗人自身的写照，于乱世之中，陶渊明不愿与贪腐势力为伍，可谓卓尔不群。“提壶挂寒柯”一句，将作者形象描摹出来：寒松之下，提壶远望，若有所思。最后两句“吾生梦幻间，何事绁尘羁”，诗人感慨人生就像在梦幻之间，不能被尘世的羁绊所累，而应该返身自然，抱朴含真。

清晨闻叩门，倒裳往自开①。
问子为谁与？田父有好怀②。
壶浆远见候，疑我与时乖③。
褴缕茅檐下，未足为高栖④。
一世皆尚同，愿君汩其泥⑤。
深感父老言，禀气寡所谐⑥。
纡辔诚可学，违己讵非迷⑦。

且共欢此饮，吾驾不可回。

【注释】

①倒裳：颠倒衣裳，匆忙貌。《诗·齐风·东方未明》："东方未明，颠倒衣裳。"

②子：古代对男子之尊称。田父：老农。好怀：好心。

③壶浆：酒。远见候：谓远道而来，给予问候。疑：怪。乖：违背，不合。

④褴缕：衣服破烂貌。高栖：高隐。

⑤一世：举世。尚同：以与世俗同流为好。同，此指随波逐流，盲从附和。《论语·子路》："君子和而不同，小人同而不和。"汩（gǔ）：同"淈"，搅浑。《楚辞·渔父》："屈原曰：'举世皆浊我独清，众人皆醉我独醒，是以见放。'渔父曰：'圣人不凝滞于物，而能与世推移。世人皆浊，何不淈其泥而扬其波？'"

⑥禀气：禀性。谐：合。

⑦纡辔：放松马缰缓行。纡，曲，引申为放松。违己：违背己之初衷。讵：岂。迷：迷失，糊涂。

【赏析】

本诗是《饮酒》组诗的第九首，这首诗以田父与陶渊明的对话展开，形式活泼，语言朴实又不乏风趣。通过对话再现了诗人当时的艰难处境与力排众议的归隐决心。诗篇以叙事开头，清晨有人叩门，作者来不及穿好衣裳便跑去开门。原来是农夫质疑他弃官归隐的不合时宜，所以专程带了酒食来劝慰，"一世皆尚同，愿君汩其泥"。诗人当时"褴缕茅檐下"，所以农夫的规劝并非个案，而是代表当时诗人周围世俗之人的普遍见解。最后六句是作者对农夫的答复，也是诗人表明志向：不想违背自己的意愿，人生的选择也不可能调转回头。虽然穷困潦倒，周围的人也不理解，但陶渊明还是择善而固执，坚持自己的隐居躬耕的志向，可敬可畏。

在昔曾远游，直至东海隅。
道路迥且长，风波阻中涂①。
此行谁使然？似为饥所驱。
倾身营一饱，少许便有余②。
恐此非名计，息驾归闲居③。

【注释】

①迥（jiǒng）：远。涂：通“途”。
②倾身：竭尽全力。营：谋求。少许：一点点。
③非名计：不是求取名誉之良策。息驾：停止车驾，指弃官。

【赏析】

本诗是《饮酒》组诗的第十首，是追忆年轻时为求生计东去为官的往事。诗中流露出少许的悔恨之意。首四句，先回忆年轻时远游直至东海隅，因为道路迥长，加之风波阻隔，过程艰辛。五、六句自问自答，道明原因，远游原来是被饥饿所驱使。这六句采用倒叙的手法，让诗文增添波折。明白是离家远宦之后，上文的“道路迥且长，风波阻中涂”，除了指现实中的路途坎坷外，还指官场的黑暗与凶险。诗人任职时发现，自己竭尽全力想求得温饱，但其实他真正需要的只是很少的部分。知道做官不是求取名誉的良方之后，陶渊明马上迷途知返，“息驾归闲居”。经过一番斗争与歧途之后，诗人不慕名利的心性重新得以回归。

颜生称为仁，荣公言有道①。
屡空不获年，长饥至于老②。
虽留身后名，一生亦枯槁。
死去何所知，称心固为好。
客养千金躯，临化消其宝③。
裸葬何必恶，人当解意表④。

【注释】

①颜生：即颜回，孔子最得意之弟子。称为仁：以仁德著称。《论语·雍也》：“子曰：‘回也，其心三月不违仁。’”《孔子家语》：“回之德行著名，孔子称其仁焉。”荣公：荣启期，春秋时隐士。见本组诗其二注③。有道：指荣启期安贫乐道。《列子·天瑞》：“孔子问（荣启期）曰：‘先生所以乐，何也？’对曰：‘吾乐甚多：天生万物，唯人为贵，而吾得为人，是一乐也；男女之别，男尊女卑，故以男为贵，吾既得为男矣，是二乐也；人生有不见日月、不免襁褓者，吾既已行年九十矣，是三乐也。贫者，士之常也；死者，人之终也；处常得终，当何忧哉！’”

②屡空：谓颜回生活贫困，食用经常空乏。《论语·先进》：“子曰：‘回也其庶乎？屡空。’”不获年：不得长寿，此指颜回英年早逝。《史记·仲尼弟子列传》：“回年二十九，发尽白。蚤（早）死。”长饥至于老：谓荣启期一生穷

困直到老死。

③客：人生如过客。养：保养。千金躯：犹贵体。化：死。宝：此指荣誉、名声。《古诗十九首》："人生非金石，岂能长寿考？奄忽随物化，荣名以为宝。"

④裸葬：裸体埋葬。《汉书·杨王孙传》载，杨王孙病危时嘱其子曰："吾欲裸葬，以反吾真……死则为布囊盛尸，入土七尺，既下，从足引脱其囊，以身亲土。"意表：此指杨王孙言外之意。

【赏析】

本诗是《饮酒》组诗的第十一首，写陶渊明对生前富贵，身后名誉所持的态度。诗文前四句引用颜回和荣启期的典故。颜回虽以仁德好学受孔子青睐，但屡空早夭；荣启期虽然安贫乐道，但到九十岁时仍家贫如洗。后四句紧接前四句，是诗人对颜、荣二人的评价：他们尽管在后世留下了美名，但活着的时候困窘贫穷。而且这所谓的美名，人死之后哪里还有谁知晓。所以诗人得出结论，"称心固为好"，称心如意，随心而动才最重要。既然千金之躯，在人死亡后都消失，那为什么厌恶裸葬？何不以身亲土，返归自然？陶渊明《挽歌诗》第三首中"死去何所道，托体同山阿"同样也表达了这种超脱的生死观。

长公曾一仕，壮节忽失时①。
杜门不复出，终身与世辞②。
仲理归大泽，高风始在兹③。
一往便当已，何为复狐疑④？

去去当奚道，世俗久相欺[⑤]。

摆落悠悠谈，请从余所之[⑥]。

【注释】

①长公：张挚，字长公，西汉人。《史记·张释之列传》载张挚“官至大夫，免。以不能取容当世，故终身不仕”。壮节：壮年。失时：失去从政时机。

②杜门：闭门不出。杜，堵塞，断绝。

③仲理：东汉杨伦。《后汉书·儒林传》：“杨伦，字仲理……为郡文学掾。以不能人间事，志乖于时……遂去职，不复应州郡命。讲授于大泽中，弟子至千余人。”高风：高尚操守。

④往：去，指退隐。

⑤去去：犹言“且罢”“罢了”。曹植《杂诗》：“去去莫复道，沉忧令人老。”当奚道：尚何言。

⑥摆落：摆脱。悠悠谈：世俗妄议是非之语。《晋书·王导传》：“悠悠之谈，宜绝智者之口。”

【赏析】

本诗是《饮酒》组诗的第十二首，是典型的咏古述怀之作。陶渊明选择汉人张挚和杨伦作为讨论对象，张挚曾做过一次官，但在壮年辞官，并闭门不出，终身不仕；杨伦虽然去职讲授于大泽中，但前后凡三征三归，犹豫不决，没有坚定的归隐之志。诗人举二人的事例，一以自勉，一以自警，反映了他决心隐居，远离官场的不屈心志。“去去当奚道，世俗久相欺”便是这种心境最真实的写照。在诗人眼中世俗的生活是他内心追寻真与善的障碍，“去”字重叠，加重语气，作者退隐的决心可见一斑。

有客常同止，取舍邈异境[①]。
一士长独醉，一夫终年醒。
醒醉还相笑，发言各不领[②]。
规规一何愚，兀傲差若颖[③]。
寄言酣中客，日没烛当秉[④]。

【注释】

①止：居。邈异境：境界迥然不同。

②领：领会，理解。

③规规：浅陋拘泥貌。《庄子·秋水》：“子乃规规然而求之以察，索之以辩。是直用管窥天，用锥指地也。”兀傲：傲然，不拘礼节貌。差若颖：比较而言聪明些。

④酣中客：畅饮之人。烛当秉：意谓夜以继日秉烛而饮。《古诗十九首》：“昼短苦夜长，何不秉烛游。”

【赏析】

本诗是《饮酒》组诗的第十三首，这首诗一改陶渊明其他诗文中常见的平淡闲适的风格，自己编造了两个人物，语言诙谐，颇具戏剧性，但诗中传达的思想却发人深省。全诗前六句对二人进行的描述：两个人起居作息一样，但貌合神离，一人经常喝醉酒，另一个终年清醒。其实他们一个代表淡泊名利、以酒为伴的隐士，一个代表钻营名利的市井之徒。出世的闲适与入世的功名是不可兼得的，二者只能选一，所以他们二人才“醒醉还相笑，发言各不领”。在作者心目中，浅陋拘泥的醒者是愚钝的，桀骜不驯的醉者才是聪颖的。所以诗人寄言醉酒的人还要夜以继日，秉烛而饮。这其实也是陶渊明自身追求和平日生活的写照。

故人赏我趣，挈壶相与至①。
班荆坐松下，数斟已复醉②。
父老杂乱言，觞酌失行次③。
不觉知有我，安知物为贵。
悠悠迷所留，酒中有深味④。

【注释】

①故人：老朋友。挈（qiè）壶：提壶。

②班荆：铺荆于地。《左传·襄公二十六年》：“班荆相与食，而言复故。”杜预注：“班，布也，布荆坐地也。”荆，落叶灌木，此指荆棘杂草。

③行次：斟酒饮酒之先后次序。此二句意谓不拘礼节。

④悠悠：醉后恍惚貌。迷所留：不知所止，不知身在何处。

【赏析】

本诗是《饮酒》组诗的第十四首，写陶渊明与友人一起在松下饮酒，醉后不知身在何处的忘我境界。“赏”字说明故人赏识作者的才情与理想，并非本组诗第九首中劝我和光同尘的田父可比。“班”字看出他们饮酒的兴致极高，于是才喝数杯便已醉倒。“父老杂乱言，觞酌失行次”，描写友人酒醉后的样子，满口胡言乱语，斟酒也没有次序，一片酒酣人欢的面貌。“不觉知有我，安知物为贵”，不知道自己的存在，也不以俗物为贵，是诗人喝醉酒后达到的物我两忘的境界。最后两句又回归到酒，酒中有深味，与“此中有真意”相同，诗人并未道破，而是留下言有尽而意无穷的韵味。

贫居乏人工，灌木荒余宅①。
班班有翔鸟，寂寂无行迹②。
宇宙一何悠，人生少至百③。
岁月相催逼，鬓边早已白。
若不委穷达，素抱深可惜④。

【注释】

①乏人工：缺少劳力帮手。
②班班：显明。
③悠：久远。少至百：很少活到百岁。
④委：听任。穷达：穷达之命。素抱：平素之怀抱、志向。

【赏析】

本诗是《饮酒》组诗的第十五首，前四句写诗人的生存环境和状态。因为缺乏劳动人手帮忙修整，灌木几乎侵荒了他的住宅。修剪野草不需要多大气力，陶渊明也并非没有邻友帮助，主要还是他慵懒闲散，根本无心打理。“班班有翔鸟，寂寂无行迹”，天上是群鸟班班，地上是一人独居寂寂，对比之下，更见诗人的寂寞冷清。“宇宙一何悠”以下四句，作者又感慨宇宙悠久，人生短暂。眼看自己被岁月无情地催逼，两鬓都已霜白，诗人老景颓唐的年迈形象刻画入微。面对住宅荒芜、孤苦无依和两鬓斑白，作者却要听任穷达之命，努力坚守素昔隐居不求显达的意愿，体现出陶渊明高洁的节操。

少年罕人事，游好在六经①。
行行向不惑，淹留遂无成②。
竟抱固穷节，饥寒饱所更③。
弊庐交悲风，荒草没前庭。
披褐守长夜，晨鸡不肯鸣④。
孟公不在兹，终以翳吾情⑤。

【注释】

①罕人事：很少世俗交往。游好：流连爱好。六经：六种儒家经典，即《诗》《书》《礼》《乐》《易》《春秋》。

②行行：行走不停，此喻时光流逝。向：接近。不惑：四十岁。《论语·为政》：“四十而不惑。”淹留：久留。无成：功名事业无所成就。

③竟：最终。抱：坚持。固穷节：穷困时固守节操。饱：饱经，饱受。更：经历。

④褐（hè）：粗布或粗布衣服。

⑤孟公：东汉刘龚，字孟公。皇甫谧《高士传》：“张仲蔚者，平陵人也。好

诗赋，常居穷素，所处蓬蒿没人。闭门养性，不治荣名，时人莫识，惟刘龚知之。”翳（yì）：遮蔽，隐没。

【赏析】

本诗是《饮酒》组诗的第十六首，经常被后代引用和赞美。诗人回忆了过去的经历，描述了当下的处境和心态，体现了内心的矛盾和恨无知音赏的苦闷。陶渊明少年时很少与人来往，喜欢研究儒家经典，可见他最初对仕途还是抱有希望且励志作为的。但他快到四十岁的时候还没有什么成就，最后毅然辞官归隐田园，保存自己君子的节操，任由饥寒交迫。于是有了“弊庐交悲风”以下的四句，寒风吹袭着破旧的草庐，荒草丛生淹没了庭院，在满眼荒凉衰败的景象中，诗人披着粗布衣在寒夜中独守。“晨鸡不肯鸣”一句想像丰富，寓意深刻，并非公鸡迟迟不肯打鸣，而是陶渊明整夜难眠，传达他希望尽快天亮的焦急心情。最后化用东汉隐士刘龚事迹作结，反映了诗人没有知音，不被人理解的窘迫境地。

幽兰生前庭，含薰待清风①。
清风脱然至，见别萧艾中②。
行行失故路，任道或能通③。
觉悟当念还，鸟尽废良弓④。

【注释】

①薰：香气。

②脱然：轻快貌。萧艾：野蒿，杂草。《楚辞·离骚》：“何昔日之芳草兮，今直为此萧艾也。”

③任道：顺应自然之道。

④念还：归隐。鸟尽废良弓：《史记·越王勾践世家》：“蜚（飞）鸟尽，良弓藏；狡兔死，走狗烹。”作者以此话自警。

【赏析】

本诗是《饮酒》组诗的第十七首，作者写幽兰以自喻，并发出“飞鸟尽，良弓藏；狡兔死，走狗烹”的愤慨。作为隐逸诗人，菊花和松树是陶渊明诗歌中常写的意象，兰花却并不多见。“幽”字已将兰花超逸卓绝、孤高自傲的特质表现出来。加之又饱含芳香以待徐徐清风，我们很容易就会将清新脱俗的兰花与隐居不仕的作者联系起来。当清风将幽兰的芳香吹散开来，才体现出它与其他杂草的不同，这种写作手法与本组第八首诗中描写青松“凝霜殄异类，卓然见高枝”相同。作者服膺幽兰，又深谙统治者只可共患难，不能同享福的道理，所以后四句的议论中便有应当顺应自然之道，归还原来迷失道路的想法，暗指辞官归隐，远离官场。

子云性嗜酒，家贫无由得①。
时赖好事人，载醪祛所惑②。
觞来为之尽，是咨无不塞③。

有时不肯言，岂不在伐国④。
仁者用其心，何尝失显默⑤。

【注释】

①子云：扬雄，字子云，西汉学者。

②好事人：多事之人，此指勤学好问者。载醪（láo）：带着酒。祛（qū）：除去，驱逐。《汉书·扬雄传》载扬雄“家素贫，耆（嗜）酒，人希至其门。时有好事者载酒肴从游学”。

③是咨：凡是所询问者。咨，询问。无不塞：无不得到满意之答复。塞，充实，充满。

④伐国：攻打别国。《汉书·董仲舒传》：“闻昔者鲁君问柳下惠：‘吾欲伐齐，何如？’柳下惠曰：‘不可。’归而有忧色，曰：‘吾闻伐国不问仁人，此言何为至于我哉！’”

⑤失：过失，差错。显默：显达与寂寞。

【赏析】

本诗是《饮酒》组诗的第十八首，专门论述汉代的扬雄，赞美他有时畅言，有时沉默，但都没有丝毫过错的机智。扬雄喜欢喝酒，却因为家里贫穷而无法获得，所以很多人带着酒来请他解惑释疑，开头四句是记叙。“觞来为之尽，是咨无不塞。有时不尽言，岂不在伐国”是对扬雄的评价。大多数问题扬雄都能为询问者提供满意的答复，这是显；但在伐国之事上，却缄默不言，这是默。“伐国”引用柳下惠“吾闻伐国不问仁人”的典故，是在引用中嵌套典故。扬雄嗜酒与陶渊明相类，柳下惠是隐士，也与陶相同，诗人其实是在借咏扬雄抒发自己的意愿。扬雄能显能默，诗人更看重他的沉默，有所为有不为。恰如孔子所说“其知可及也，其愚不可及也”，充分体现了诗人的隐士心态。

畴昔苦长饥，投耒去学仕①。
将养不得节，冻馁固缠己②。
是时向立年，志意多所耻③。
遂尽介然分，终死归田里④。
冉冉星气流，亭亭复一纪⑤。
世路廓悠悠，杨朱所以止⑥。
虽无挥金事，浊酒聊可恃⑦。

【注释】

①畴昔：往昔，过去。投耒（lěi）：放下农具。

②将养：休息，调养。不得节：不得法。节，法度。馁（něi）：饥饿。

③向立年：将近三十岁。《论语·为政》：“三十而立。”陶渊明二十九岁始仕为江州祭酒，故曰“向立年”。志意多所耻：内心因出仕而感到羞耻。

④遂：于是，终于。尽：使出，充分表现出来。介然：耿介，坚贞。分：原则，本分。《荀子·修身》：“善在身，介然必以自好也。”杨倞注：“介然，坚固貌。”田里：田园，故居。

⑤冉冉：渐渐。星气流：星宿节气运行变化。亭亭：久远貌。一纪：十二年。

⑥廓：空。悠悠：远。杨朱：战国时卫人。止：止步。《淮南子·说林训》：“杨子见逵路（即歧路）而哭之，为其可以南，可以北。”

⑦挥金事：用汉代疏广事，参见《杂诗十二首》其六注⑥。

【赏析】

本诗是《饮酒》组诗的第十九首，回顾了诗人在出仕与农耕之间的摇摆与矛盾，并肯定了自己归隐的意愿。年轻时因为苦受饥饿，所以丢开了农具去做官。没想到做官微薄的俸禄也没能改变自己冻馁的命运。“是时向立年，志意多所耻”是对这段为宦经历的评价，作者当时将近三十岁，内心对出仕感到羞耻。“遂尽介然分，终死归田里”是作者的重新选择，怀着耿介之心，誓死返归田园。“遂尽”和“终死”四字可以看出诗人坚定不移的决绝心志。全诗最后六句是对十二年来的隐居生活的总结，并连用杨朱歧路而哭、疏广挥金取乐的典故，表达世路渺茫无际，只愿有酒终老的超脱情怀。

羲农去我久，举世少复真①。
汲汲鲁中叟，弥缝使其淳②。
凤鸟虽不至，礼乐暂得新③。
洙泗辍微响，漂流逮狂秦④。
诗书复何罪？一朝成灰尘⑤。
区区诸老翁，为事诚殷勤⑥。
如何绝世下，六籍无一亲⑦。
终日驰车走，不见所问津⑧。

若复不快饮，空负头上巾[9]。

但恨多谬误，君当恕醉人。

【注释】

①羲农：伏羲、神农。去：离。真：真淳之社会风尚。

②汲汲：急切貌。鲁中叟：鲁国老人，指孔子。弥缝：弥补缝合。《左传·僖公二十六年》："弥缝其阙，而匡救其灾。"

③凤鸟：《论语·子罕》："子曰：'凤鸟不至，河图不出，吾已矣夫！'"礼乐暂得新：《史记·孔子世家》载："孔子之时，周室微而礼乐废"，后经孔子补救整理，"礼乐自此可得而述"，因又得以复兴。

④洙泗：二水名，在今山东曲阜，乃孔子讲学之地。辍（chuò）：中止，停息。微响：精微高妙之言。漂流：时光流逝。逮（dǎi）：至，到。狂秦：狂暴之秦朝。

⑤此二句指秦始皇焚书之事。

⑥区区：诚恳貌。诸老翁：指西汉初年传授经学之饱学长者如伏生等人。为事：传授经学之事。

⑦绝世：汉代灭亡以后。六籍：六经。亲：亲近。

⑧驰车走：追逐名利之徒奔走不息。走，奔跑。问津：参见《癸卯岁始春怀古田舍二首》其二注⑥。

⑨快饮：痛饮，畅饮。头上巾：此指陶渊明自己所戴之漉（lù，过滤）酒巾。《宋书·隐逸传》载，渊明"值其酒熟，取头上葛巾漉酒。毕，还复著之"。

【赏析】

本诗是《饮酒》组诗的最后一首，可以算得上是陶渊明所写前代道统或学术发展史。诗人用寥寥数笔勾勒出三皇五帝时的真淳的社会风气，又写孔子复兴礼乐、孔子弟子缀嗣绝响、秦朝焚书坑儒、汉复兴学术和汉亡后六经被弃几件大的历史事件。他推崇六经的教化功能，并对当时“六籍无一亲”和“不见所问津”的糟糕现状表现出深深的忧虑和愤慨。可见作者虽然归隐，但关心国家命运和人民生活。最后四句，陶渊明还是回归到饮酒，趁有生之年，痛饮自娱。因为归根结底，他还是隐士，他无法效法孔子去汲汲弥缝，也不愿意追随汉儒去殷勤为事。

怨诗楚调示庞主簿邓治中①

天道幽且远，鬼神茫昧然②。
结发念善事，僶俛六九年③。
弱冠逢世阻，始室丧其偏④。
炎火屡焚如，螟蜮恣中田⑤。
风雨纵横至，收敛不盈廛⑥。
夏日长抱饥，寒夜无被眠。
造夕思鸡鸣，及晨愿乌迁⑦。
在己何怨天，离忧凄目前⑧。
吁嗟身后名，于我若浮烟。
慷慨独悲歌，钟期信为贤⑨。

【注释】

①怨诗楚调：汉乐府相和歌辞中有楚调，楚调曲中有《怨诗行》。本诗即

模仿这种体裁。庞主簿：庞遵，字通之，陶渊明故友，主簿乃其官职。邓治中：事迹不详，亦陶渊明朋友，治中亦为官职。

②天道：天理。幽且远：深邃而玄远。茫昧然：茫然幽暗貌。

③结发：犹“束发”，即年轻时。一般指十五岁以上。参见《大戴礼记·保傅》及《礼记·内则》注。念善事：欲做好事、积善德。六九年：五十四岁。

④弱冠：二十岁。《礼记·曲礼上》：“二十曰弱冠。”古代男子二十岁行冠礼。世阻：世道险阻。始室：三十岁。《礼记·内则》：“三十而有室，始理男事。”丧其偏：丧妻。古时称丧妻或丧夫为偏丧。

⑤炎火：炎日似火。焚如：火烧一般。螟蜮（yù）：稻田中两种害虫。《吕氏春秋·任地》：“又无螟蜮。”高诱注：“食心曰螟，食叶曰蜮。”恣：恣意，放纵。

⑥收敛：收获。不盈廛（chán）：不足维持一家生活。盈，满。廛，一家之居。

⑦造夕：到晚上。乌迁：太阳迁移，即太阳下山。传说日中有三足乌，故名金乌。

⑧离忧：遭遇忧患。离，通“罹”。

⑨钟期：钟子期。《列子·汤问》：“伯牙鼓琴，志在高山，钟子期曰：‘善哉！峨峨兮若泰山。’志在流水，钟子期曰：‘善哉！洋洋兮若江河。’”陶渊明在此借钟子期喻庞主簿、邓治中为知音。

【赏析】

这首诗是陶渊明仿汉乐府《楚调曲》中的《怨诗行》而作。据诗中“僶俛六九年”句可知本诗作于诗人五十四岁时，即东晋安帝义熙十四年（418）。全诗分三个部分，第一部分回忆了自结发以来的人生经历，虽一心行善积德，但弱冠时遭遇世道险阻，结婚不久又有丧妻之痛。第二部分描述了隐居耕地的艰辛，饱受干旱、螟蜮、风雨等自然灾害的摧残，以致收成无几，饥寒落魄。第三部分议论抒怀，是诗文的核心。虽然诸事不顺，但诗人仍然不怨天尤人，不图身后的名利，慷慨悲歌，表达了他高洁的情操和豁达开阔的胸襟。末句以“钟子期”喻庞、邓二位友人为自己的知己，点题作结。

于王抚军座送客①

秋日凄且厉，百卉具已腓②。
爰以履霜节，登高饯将归③。
寒气冒山泽，游云倏无依④。
洲渚四缅邈，风水互乖违⑤。
瞻夕欣良宴，离言聿云悲⑥。
晨鸟暮来还，悬车敛余晖⑦。
逝止判殊路，旋驾怅迟迟⑧。
目送回舟远，情随万化遗⑨。

【注释】

①王抚军：王弘，时任江州刺史。客：指庾登之和谢瞻。庾登之原任西阳太守，时被征还京。谢瞻时任豫章大守。

②百卉：百草。腓（féi）：草木枯萎。

③爰：于是。履霜节：九月。《诗·豳风·七月》：“九月肃霜。”饯（jiàn）：设

酒食送行。

④冒：覆盖。

⑤洲渚：水中陆地。《尔雅 · 释水》：“水中可居者曰洲，小洲曰渚。”缅邈：遥远貌。风水互乖违：风向与水流方向相反。乖违，违背，分离。

⑥离言：离别之辞。聿（yù）：语助词。

⑦悬车：黄昏之前。《淮南子 · 天文训》：“日出于旸谷……至于悲泉，爰止其女，爰息其马，是谓县车。至于虞渊，是谓黄昏。”敛余晖：夕阳渐收余光。

⑧逝止：谓行者与留者留。判：判然，分别。旋驾：回车。迟迟：缓慢貌。

⑨回舟：归去之舟。万化：宇宙自然之变化。遗：遗落，消失。

【赏析】

这是一首作于南朝宋武帝永初二年（421）的送别诗，陶渊明在江州刺史王弘处送庾登之还京，送谢瞻赴豫章。首四句写秋天霜至花残的凄冷氛围，指明送行时间。“寒气冒山泽”以下四句写送行地点，水边寒气逼人、洲渚邈邈、游云无依寄意离别。“瞻夕欣良宴”以下四句写宴饮饯行。“晨鸟暮来还，悬车敛余晖”，说明饮酒惜别已至傍晚。鸟儿早出晚归，但友人一去，不知何时再见，对比之下，又增感伤。最后四句写送别，“怅迟迟”写出了诗人依依不舍的惆怅心情。目送归舟，舟已远远消失在视线之外，但留恋之情却随着万物的变化紧紧相随。

和胡西曹示顾贼曹①

蕤宾五月中，清朝起南飔②。
不驶亦不迟，飘飘吹我衣③。
重云蔽白日，闲雨纷微微④。
流目视西园，晔晔荣紫葵⑤。
于今甚可爱，奈何当复衰。
感物愿及时，每恨靡所挥⑥。
悠悠待秋稼，寥落将赊迟⑦。
逸想不可淹，猖狂独长悲⑧。

【注释】

①西曹、贼曹：州从事官名。胡西曹、顾贼曹二人名字及事迹均不详。

②蕤（ruí）宾：五月。《礼记·月令》："仲夏之月……律中蕤宾。"古以乐律中十二律配十二月，蕤宾当为仲夏之月，即五月。清朝：清晨。飔（sī）：凉风。

③驶：迅疾。迟：缓慢。

④重云：层云。闲雨：细雨不疾也。

⑤流目：放眼随意观看。晔晔（yè）：美盛貌。荣：开花。紫葵：蔬菜名。

⑥感物：有感于物。靡所挥：没有酒饮。挥，举杯饮酒。

⑦悠悠：遥远。待秋稼：等待秋收。寥落：稀疏冷落。赊（shē）迟：缓慢。

⑧逸想：遐想。淹：滞留。猖狂：恣意放纵，此指感情激荡。

【赏析】

这首诗诗题中的胡西曹和顾贼曹二人的名字与事迹都不详，但并不妨碍我们对诗文内容的解读。诗的前八句，写仲夏时节的美景。在诗人笔下，风是清凉的，而且既不迅疾也不迟缓，轻轻吹动衣襟，正合诗人的意愿。天气马上又重云蔽白日，下起了微雨，这雨是“闲”雨，滋润万物。紫葵花也长势喜人，一片生机盎然的景象。九、十两句过渡，“于今甚可爱”五字，是对上述景致的总结。但诗人马上由喜转悲，担心他们迟早都会衰败。诗的最后六句也由写景进入议论。虽然作者提醒自己要及时行乐，但苦于没有美酒供自己痛饮。田园的农作物也要等到秋天才成熟，诗人只有独自悲伤。表达了他对好景易逝，躬耕艰苦的苦闷心情。

五月旦作和戴主簿①

虚舟纵逸棹，回复遂无穷②。
发岁始俯仰，星纪奄将中③。
南窗罕悴物，北林荣且丰④。
神萍写时雨，晨色奏景风⑤。
既来孰不去，人理固有终⑥。
居常待其尽，曲肱岂伤冲⑦。

迁化或夷险，肆志无窊隆⑧。

即事如已高，何必升华嵩⑨。

【注释】

①五月旦：五月初一。主簿：官名，主管文书簿籍。戴主簿事迹不详。

②虚舟：空船。逸：快。棹：船桨。空舟快棹，比喻迅速流逝之时光。《庄子·列御寇》："泛若不系之舟，虚而遨游。"回复：往来。

③发岁：开岁，一年之始。俯仰：俯仰之间，谓时间短暂。星纪：星次名。古代星岁纪年法，把周天划为十二分次，每分次有一专名，星纪即其中之一。奄：忽然。将中：将到年中，指五月。

④罕：少。悴：憔悴，干枯之物。荣且丰：繁荣茂盛。

⑤神萍：雨师。写：犹"泻"，倾注。奏：进，奉献。景风：夏风，南风。《说文·风部》："南方曰景风。"《史记·律书》："景风居南方。景者，言阳气道竟，故曰景风。"

⑥来、去：生死。人理：人生之道理。

⑦居常待其尽：安于贫困，等待命终。晋皇甫谧《高士传》："贫者，士之常也；死者，民之终也。居常以待终，何不乐也？"曲肱（gōng）：弯臂。《论语·述而》："饭疏食饮水，曲肱而枕之，乐亦在其中矣。不义而富且贵，于我如浮云。"冲：虚，淡泊。

⑧迁化：时运变化。夷：平顺。肆志：随心任性。窊（wā）：低洼。隆：高。

⑨即事：就事，对眼前事物之认识。华嵩：华山与嵩山，皆神仙所居之地。

【赏析】

这首诗前四句写春秋往复，无穷无尽，人生易老。年初到仲夏，似乎俯仰之间，倏忽已至年中。紧接着的四句写诗人所见的风景：南窗下冬天憔悴的草木已不多见，继以代之的是北林郁郁葱葱。二句互文，写出了夏天万物的勃勃生机。时雨、景风，一切都如此美好。微风好雨，是陶渊明喜爱的意象，多表达他欢快愉悦的心情。但诗人面对此胜景却发出“既来孰不去，人理固有终”的感叹，担心美好的事物终将逝去。这与《和胡西曹示顾贼曹》中的“于今甚可爱，奈何当复衰”一样，表明了诗人的忧虑。但作者的过人之处在于，在伤感之后，能用旷达的心胸超然于这种感物伤时的情绪，所以他“居常待其尽，曲肱岂伤冲”。诗末议论，体现了陶渊明坚守本性，不改初衷的意志。

九日闲居并序

余闲居，爱重九之名[①]。秋菊盈园，而持醪靡由[②]，空服九华[③]，寄怀于言。

世短意常多，斯人乐久生[④]。
日月依辰至，举俗爱其名[⑤]。
露凄暄风息，气澈天象明[⑥]。
往燕无遗影，来雁有余声。
酒能祛百虑，菊为制颓龄[⑦]。
如何蓬庐士，空视时运倾[⑧]。
尘爵耻虚罍，寒华徒自荣[⑨]。
敛襟独闲谣，缅焉起深情[⑩]。

栖迟固多娱，淹留岂无成[11]？

【注释】

①重九：农历九月九日。九属阳数，故重九又称重阳。重阳节，菊花盛开，古人有饮菊花酒之习俗，认为可以益寿延年。“九”、“酒”、“久”谐音，有长久之意。

②靡：无。由：来由，机缘。

③九华：重九之花，即菊花。华，同“花”。

④世短意常多：人生短促，而愿望常多。斯人：人人。乐久生：乐于长寿。

⑤依辰至：按时而来。辰，时。举俗：整个社会。爱其名：喜爱重九之节名。曹丕《九月九日与钟繇书》：“岁往月来，忽复九月九日。九为阳数，而日月并应，俗嘉其名，以为宜于长久。”

⑥露凄：秋霜凄凉。暄风：暖风。气澈：空气清澈。天象明：天空明朗。

⑦袪（qū）：除去。制：止。颓龄：衰暮之年。

⑧蓬庐士：贫寒之士。倾：尽。

⑨尘爵：积尘之酒杯。虚罍（léi）：空酒壶。此句谓酒杯生尘乃空酒壶之耻辱，意本《诗·小雅·蓼莪》：“瓶之罄矣，维罍之耻。”寒华：秋菊。徒：徒然。荣：开花。

⑩敛襟：整理衣襟，正襟危坐。闲谣：悠然作歌。缅：沉思貌。

⑪栖迟：游息，闲居。《诗·陈风·衡门》：“衡门之下，可以栖迟。”淹留：久留。

【赏析】

这首诗的序文已指出创作缘起：重阳节这一天赏菊，但无酒助兴，所以“寄怀于言”。除本首诗外，陶渊明还有一首《己酉岁九月九日》写重阳，有酒但没有写菊花。首四句感叹人世，生命短暂但愿望无穷，表达诗人的苦闷之情。后四句写重阳节的秋景：露冷风凄，气澈天明，道出了秋高气爽的意境。雁来燕往，却反衬出诗人的孤寂落寞。在陶渊明眼中，酒和菊都是不可或缺之物，酒能祛百虑，菊可止颓龄。可是作者是隐居的蓬庐士，时运不济，只有菊花可赏，无钱买酒，一副贫苦的形象，刻画得淋漓尽致。诗人的伟大之处在于，即便身处困境，仍能“独闲谣”“栖迟固多娱”，陶渊明安贫乐道，安时处顺的高尚情操渗透在字里行间。

岁暮和张常侍[①]

市朝凄旧人，骤骥感悲泉[②]。
明旦非今日，岁暮余何言。
素颜敛光润，白发一已繁[③]。
阔哉秦穆谈，旅力岂未愆[④]。
向夕长风起，寒云没西山[⑤]。
厉厉气遂严，纷纷飞鸟还[⑥]。
民生鲜长在，矧伊愁苦缠[⑦]。
屡阙清酤至，无以乐当年[⑧]。
穷通靡攸虑，憔悴由化迁[⑨]。
抚己有深怀，履运增慨然[⑩]。

【注释】

①岁暮：除夕。张常侍：当指张野。《莲社高贤传》："张野，字莱民，居浔阳柴桑，与渊明有婚姻契。"曾征拜散骑常侍，不就。

②市朝：朝廷官府。《华阳国志》："京师，天下之市朝也。"骤骥：快马。悲泉：日落之处。《淮南子·天文训》："（日）至于悲泉，爰止其女，爰息其马。"此句谓光阴疾速。

③素颜：苍白之颜。敛光润：面容憔悴，无光泽。一：语助词。繁：多。

④阔：迂阔。秦穆：秦穆公。旅力：膂力。旅，同"膂"，脊梁骨。愆（qiān）：丧失。《尚书·秦誓》："番番良士，旅力既愆，我尚有之。"

⑤向夕：将近傍晚。

⑥厉厉：犹冽冽，寒冷貌。

⑦鲜：少。矧（shěn）伊：况此。矧，况且。

⑧屡阙：经常缺。清酤：清酒。

⑨穷通：穷困与显达。靡：无。攸：所。憔悴：此指衰老。由化迁：随自然之变迁。

⑩抚己：省察自己。履运：逢年过节。

【赏析】

这首诗的前八句，与陶渊明的众多其他诗篇一样，亦是感叹光阴似箭，人生易老。"明旦非今日"带有哲理性地写出了时间的瞬息万变。"旅力岂未愆"，引用《尚书·秦誓》的典故，既写出了作者年迈气衰的现状，又反映了他不甘老去的倔强心志。"向夕长风起"以下四句写景，傍晚长风渐起，寒云笼罩西山，严气凛冽，倦鸟群还，一幅岁暮衰景图，正与观景之人的心境相符，情景相融。人生短暂、愁苦缠绕，又无清酒以行乐的悲痛，诗人却能超然视之，达到穷通无所思虑，憔悴亦听任自然的至高境界。

拟古九首

荣荣窗下兰，密密堂前柳①。
初与君别时，不谓行当久。
出门万里客，中道逢嘉友。
未言心相醉，不在接杯酒②。
兰枯柳亦衰，遂令此言负。
多谢诸少年，相知不忠厚③。
意气倾人命，离隔复何有④？

【注释】

①荣荣：繁盛貌。
②心相醉：内心为之倾倒，一见倾心。
③多谢：多多告诫。《古诗为焦仲卿妻作》："多谢后世人，戒之慎勿忘。"
④意气：情谊，恩义。倾人命：送人性命。离隔：离别，阻隔。

【赏析】

《拟古》组诗一共九首，是陶渊明模仿古诗的形式叹古伤今，感怀时事，抒发自己的情感。这是本组诗的第一首，写游子在中途结交新友，经久不归，表达诗人对不讲信用、忘恩负义之人的鄙薄和厌恶。首二句起兴，用兰花和柳树寄意朋友间高洁的友谊和离别前的不舍。"荣荣"和"密密"两个叠语写出了兰和柳的繁盛，象征二人初期感情深厚。下文中的"兰枯柳衰"则又说明朋友喜新厌旧，负约不回。"出门万里客"以下四句具体写友人出行，在中道遇到嘉友，一见如故，还未交谈便已心醉，没有饮酒就相互倾心。游子和嘉友结交的场景刻画得逼真生动。但在诗人眼中，这种相交只是意气用事，没有情感基础，分离之日便是友尽之时。从作者最后的忠告可以看出，他奉行矢志不渝、忠厚为本的交友之道。不因时间和距离而疏远的友谊才是可贵的。

辞家夙严驾，当往志无终①。
问君今何行？非商复非戎。
闻有田子春，节义为士雄②。
斯人久已死，乡里习其风③。
生有高世名，既没传无穷④。
不学狂驰子，直在百年中⑤。

【注释】

①夙：早晨。严驾：整治车驾。无终：地名，在今天津市蓟县。

②田子春：多作田子泰，即田畴。东汉无终人。《三国志·魏志·田畴传》载：董卓迁帝于长安，幽州牧刘虞欲遣使展节，遂属田畴为从事。畴至长安致命，诏拜骑都尉，畴以天子蒙尘，不可荷佩荣宠，固辞不受。及还，虞已为公孙瓒所灭。畴谒虞墓，陈章表，哭泣而去。瓒大怒，拘之，或说瓒囚义士，恐

失众心，乃遣畴。畴北归，百姓归者五百余家，畴为约束，同举学校，北边翕然。士雄：人中豪杰。

③斯人：此人，即田畴。

④高世名：当世享有极高之名声。

⑤狂驰子：疯狂奔走追逐名利之人。直：仅。百年：一生。

【赏析】

这是《拟古》组诗九首中的第二首，写诗人前往东汉贤士田畴的故乡瞻仰他的遗风，表达了陶渊明对田畴节义行为的肯定与赞扬。诗的开篇便波折起伏，作者一大清早置备车马要前往无终，设下悬念，让人好奇。接下来一问一答，但答案没有揭晓，而是“非商复非戎”，车马出行不是经商，也不是打仗，则令人疑上加疑。原来诗人是感慕田子春这位雄士的节义而亲身前往。后半部分为议论，虽然田子春早就死了，但乡里的人争学他的遗风，名声也传至无穷。“不学狂驰子，直在百年中”，则表明诗人爱惜名声，要追寻田子春的节操和义举。

仲春遘时雨，始雷发东隅①。
众蛰各潜骇，草木从横舒②。
翩翩新来燕，双双入我庐。
先巢故尚在，相将还旧居③。
自从分别来，门庭日荒芜。
我心固匪石，君情定何如④？

【注释】

①仲春：农历二月，遘（gòu）：遇，逢。东隅：东方。

②蛰（zhé）：冬眠动物。潜骇：悄然惊醒。从横：即纵横。舒：舒展，谓草木自由生长。

③先巢：旧巢。相将：相偕。

④我心固匪石：《诗·邶风·柏舟》："我心匪石，不可转也。"意谓我心并非石头，不可随意搬动。定：究竟。

【赏析】

这是《拟古》组诗九首中的第三首，写燕子新春归旧居，眷恋昔日之情，抒发了陶渊明隐居不出的决心。首四句写春天万物复苏的繁茂景象，恰逢及时的春雨，春雷始作，惊醒了冬眠的蛰虫，草木的枝叶也开始舒展，简单的四句诗便写出了仲春时节的勃勃生机。中间四句写新燕归来，是全诗的核心，"翩翩"和"双双"表现了燕子的欢快。自从分别以来，他的门庭日渐荒芜，但是燕子未曾嫌弃，而且是"相将"还旧居。最后两句"我心固匪石，君情定何如"，升华主题。诗人先明己志，心不像石头，未曾转动，然后问燕子的心意究竟如何。其实燕子已经用实际行动给出了答案。全诗虚拟燕子和作者不忘昔日旧情，表达自己安贫守道、不与世迁的志向。

迢迢百尺楼，分明望四荒①。

暮作归云宅，朝为飞鸟堂②。
山河满目中，平原独茫茫。
古时功名士，慷慨争此场③。
一旦百岁后，相与还北邙④。
松柏为人伐，高坟互低昂⑤。
颓基无遗主，游魂在何方⑥？
荣华诚足贵，亦复可怜伤。

【注释】

①迢迢：高远貌。分明：清楚。四荒：四方荒远之地。
②归云宅：云气聚集之地。飞鸟堂：飞鸟聚集之地。
③功名士：追逐功名利禄之人。此场：指山河、平原。
④北邙（máng）：山名，在洛阳城北，汉魏君臣多葬此山。
⑤互低昂：意谓坟堆高低不齐。昂，高。
⑥颓基：倒塌之墓基。遗主：死者后代。

【赏析】

这是《拟古》组诗九首中的第四首，写诗人登楼远望，抒发人生难久，荣华功名易逝的感慨。首二句交代背景，陶渊明登上百尺高楼，远望四野。高楼只与云彩和飞鸟为伴，可以体会诗人当时的孤寂心情。放眼望去，所见山河满目，平原茫茫，何其寥廓和苍凉。为了建功立业的士人，曾在这里厮杀争逐，但百年之后都归于坟墓。墓地的松柏被人砍伐，只剩下高低参差的坟丘。甚至有些倾颓的茔穴已经没有主人，墓中人的游魂四处流荡。陶渊明登高怀远，眼前坟墓起伏，再遥想墓主身前的功业，难免会感叹人世沧桑。“荣华诚足贵，亦复可怜伤”，传达的便是荣华不足贵，死后俱归尘土的思想。

东方有一士，被服常不完①。
三旬九遇食，十年著一冠②。
辛苦无此比，常有好容颜③。
我欲观其人，晨去越河关。
青松夹路生，白云宿檐端。
知我故来意，取琴为我弹。
上弦惊别鹤，下弦操孤鸾④。
愿留就君住，从今至岁寒⑤。

【注释】

①被服：所穿衣服。被，同“披”。不完：不完整，破烂。

②三旬九遇食：三十天吃九顿饭。《说苑·立节》：“子思居卫，贫甚，三旬而九食。”著：戴。冠：帽子。

③好容颜：愉悦之面容，此有安贫乐道之意。

④上弦、下弦：前曲、后曲。别鹤、孤鸾：古琴曲名。此指隐士孤高之节操。

⑤就：趋就，跟从。至岁寒：《论语·子罕》：“岁寒，然后知松柏之后凋也。”

【赏析】

这是《拟古》组诗九首中的第五首，作者脑中设想了一位东方隐士，然后前去拜访，表达自己潜心归隐的不屈志向。前六句介绍隐士身居东方，生活贫苦，衣服破烂，一个月只能吃上九顿饭，十年之中只有一顶帽子，可谓困顿至极。但他却安贫乐道，苦中作乐，“常有好容颜”。于是陶渊明“我欲观其人，晨去越河关”，此二句与本组第三首诗“辞家夙严驾，当往志无终”相同，但本处属于平铺直叙，先介绍隐士，然后再前往。隐士的住处：青松生长在道路两旁，白云停留在屋檐的顶端。隐士弹奏起琴来，仙鹤鸾鸟都为之起舞。这样美如仙境的隐居生活是诗人臆想出来的，更是他心目中理想的隐逸生活。

苍苍谷中树，冬夏常如兹。
年年见霜雪，谁谓不知时①。
厌闻世上语，结友到临淄②。
稷下多谈士，指彼决吾疑③。
装束既有日，已与家人辞④。
行行停出门，还坐更自思⑤。
不怨道里长，但畏人我欺⑥。
万一不合意，永为世笑之⑦。
伊怀难具道，为君作此诗⑧。

【注释】

①时：时令之变化。

②世上语：世俗流言。临淄：地名，战国时齐国国都，在今山东省。

③稷（jì）下：古地名，临淄城稷门附近地区。齐宣王曾招集文学、学术之士在此讲学。《史记·孟荀列传》："齐之稷下先生，如淳于髡（kūn）、慎到、环渊、接子、田骈、邹奭（shì）之徒，各著书言治乱之事，以干世主。"谈士：善于言谈论辩之人，即稷下之士。指彼：指望他们。决吾疑：解决我之疑问。

④装束：整备行装。既有日：已有好几日。

⑤行行：道中徘徊，犹豫。

⑥道里：道路里程。人我欺：即人欺我。人，指"谈士"。

⑦不合意：见解不同。

⑧伊：此。

【赏析】

这是《拟古》组诗九首中的第六首，诗人以松柏自比，虽然幽居在深谷之中，但年年见霜雪，并非不知时月。寓指诗人即使隐居不仕，但也关注时政。所以引出了下文的"疑惑"，可见诗人时刻关心国家治乱和人民疾苦。陶渊明卓然独立，不同于一般的官僚，不满足于世俗的言论，所以装束既定，想去稷下拜访高明。春秋时齐国的稷下学宫早已不复存在，寻找齐国的谈士只是诗人的一种寄托和愿景，代表他对寻求真理的渴望。但是他又怕别人欺骗、担心意见不合，受到后世嘲笑。其实他害怕受嘲讽、被欺骗是假象，作者内心真正担忧的是世上没有人理解和支持他隐居田园的行为。

日暮天无云，春风扇微和[①]。

佳人美清夜，达曙酣且歌[②]。
歌竟长叹息，持此感人多。
皎皎云间月，灼灼叶中华[③]。
岂无一时好，不久当如何！

【注释】

①扇：风吹。
②美：喜爱。达曙：直到天明。
③皎皎：明亮貌。灼灼：鲜明貌。华：同“花”。

【赏析】

这是《拟古》组诗九首中的第七首，是一首感时伤怀诗。开头二句写美景，继之以三、四句的乐事。春天的傍晚，天高无云，又有微风习习，春意无限。又有美人在这清夜陪伴，于是边饮酒边唱歌直至天亮。美景佳人，高歌酒酣，是最惬意舒适的生活。但是乐极生悲，歌竟舞罢，诗人长叹息，因为终究会曲终人散，盛筵难再。最后四句，先起兴，后写意，云间的明月皎洁无瑕，繁叶中的花朵鲜明美丽，只可惜这些美景仅能存在一时，不会永远。诗人对景感怀，惋惜年华易逝，美景不长的无奈沉痛之情跃然纸上。

少时壮且厉，抚剑独行游[①]。
谁言行游近？张掖至幽州[②]。

饥食首阳薇，渴饮易水流[3]。

不见相知人，惟见古时丘[4]。

路边两高坟，伯牙与庄周[5]。

此士难再得，吾行欲何求[6]。

【注释】

①壮且厉：身体强壮，性情刚烈。抚：持。

②张掖（yē）：地名，在今甘肃，古代西部边陲之地。幽州：地名，在今河北东北，古代北方边陲之地。

③饥食首阳薇：用伯夷、叔齐事，见《饮酒二十首》其二注①。易水：水名，源出河北易县。荆轲为燕太子丹刺秦王，至易水上，高渐离击筑，荆轲慷慨悲歌："风萧萧兮易水寒，壮士一去兮不复还。"

④丘：指坟墓。

⑤伯牙：俞伯牙，善弹琴，与钟子期为知音。事见《怨诗楚调示庞主簿邓治中》诗注⑨。庄周：即庄子，战国时思想家。《庄子·徐无鬼》载，惠施死后，庄子以为再无人能与其论辩了。

⑥此士：这些人，指上述伯夷、叔齐、荆轲、伯牙、庄周等。

【赏析】

这是《拟古》组诗九首中的第八首，诗人回忆少时远游的经历，表达了对两类古人的追慕。一类是伯夷、叔齐和荆轲，称扬他们的节义；一类是俞伯牙和钟子期、庄周和惠施，羡慕他们互为知音。"谁言行游近？张掖至幽州"，有问有答，食首阳山上的薇菜，饮易水的清流，凭吊伯牙和庄周的墓，好像陶渊明身临其境一般。其实这都是诗人的想象，他并未涉足北方，没有行游张掖和幽州。通过虚构玩游，拜访古人遗迹，体现了作者对隐士的向往和对知音的渴求，传达了他自己的隐居决心。

种桑长江边，三年望当采。
枝条始欲茂，忽值山河改①。
柯叶自摧折，根株浮沧海②。
春蚕既无食，寒衣欲谁待。
本不植高原，今日复何悔③！

【注释】

①忽值：忽然遇到。山河改：山川河流变迁。此喻刘宋更替司马氏晋朝。

②柯：树枝。株：树干。

③本：草木之根。植：种植。此二句意谓，桑树本应植根于高原，却被种在长江边，自取毁灭，现在后悔又有何用。

【赏析】

这是《拟古》组诗九首中的最后一首，写种在长江边的桑树因山川河流的变迁，以致枝叶摧折，根株飘浮。“山河改”三字，似乎是对当时政治的隐喻。但具体指什么历史事件却众说纷纭，还有人认为这只是实写自然环境的变化。抛开政治寓意，单纯将此诗视为陶渊明的自述之辞，也能体会出它的独特之处。高原和长江，暗指两种不同的人生选择，因为诗人选择了长江，所以导致叶摧根浮，春蚕无食，寒衣匮乏。由此联想到诗人弃官归田后，饥寒交迫的贫苦生活。“本不植高原，今日复何悔”则说明诗人初衷不改，立志躬耕的坚定决心。

游斜川并序

辛丑正月五日[①]，天气澄和[②]，风物闲美[③]，与二三邻曲[④]，同游斜川[⑤]。临长流，望曾城[⑥]。鲂鲤跃鳞于将夕[⑦]，水鸥乘和以翻飞[⑧]。彼南阜者[⑨]，名实旧矣[⑩]，不复乃为嗟叹。若夫曾城，傍无依接[⑪]，独秀中皋[⑫]，遥想灵山[⑬]，有爱嘉名[⑭]。欣对不足[⑮]，率尔赋诗[⑯]。悲日月之遂往，悼吾年之不留。各疏年纪乡里[⑰]，以记其时日。

开岁倏五日，吾生行归休[⑱]。
念之动中怀，及辰为兹游[⑲]。
气和天惟澄，班坐依远流[⑳]。
弱湍驰文鲂，闲谷矫鸣鸥[㉑]。
迥泽散游目，缅然睇曾丘[㉒]。
虽微九重秀，顾瞻无匹俦[㉓]。
提壶接宾侣，引满更献酬[㉔]。
未知从今去，当复如此不[㉕]？
中觞纵遥情，忘彼千载忧[㉖]。
且极今朝乐，明日非所求[㉗]。

【注释】

①辛丑：为“辛酉”之误，当指南朝宋武帝永初二年（421）。

②澄和：明净温和。

③风物：风光，景物。闲：闲静。

④邻曲：邻居。

⑤斜川：地名。在陶渊明家乡。

⑥曾城：山名。曾，同“层”。一名江南岭，在庐山北。

⑦鲂（fáng）：鱼名。

⑧和：和风。

⑨南阜：南山，即庐山。

⑩名实旧矣：名与实均为熟悉之物。

⑪傍无依接：谓曾城高耸独立，无所依傍。

⑫独秀：独自挺立。秀，突出。皋：水边高地。

⑬灵山：此指昆仑山最高处。传说昆仑山为西王母及诸神仙所居，故曰灵山。《水经注》：“昆仑之山三级，下曰樊桐，一名板桐；二曰玄圃，一名阆风；上曰层城，一名天庭，是谓太帝之居。”

⑭嘉名：美名。

⑮欣对不足：愉快面对曾城山赏景，尚不足尽兴。

⑯率尔：本义指轻率，此作“即兴”解。

⑰疏：分列。乡里：籍贯。

⑱开岁：一年开始。行：即将。休：死亡。

⑲动中怀：内心激荡不安。及辰：及时。

⑳班坐：依次列坐。远流：长长之流水。

㉑弱湍：水流舒缓。驰：快速游动。文鲂：有花纹之鲂鱼。闲谷：空谷。矫：飞。

㉒迥泽：广阔之湖水。迥，远。散：随意。游目：放眼四望。缅然：沉思貌。睇（dì）：看。曾丘：即曾城。

㉓微：无。九重：昆仑山之曾城九重。顾瞻：环顾瞻望。匹俦：匹敌。

㉔壶：酒壶。引满：斟满酒。献酬：互相劝酒。

㉕从今去：从今后。不：同“否”。

㉖中觞：饮酒至半。千载忧：《古诗十九首》之十五：“生年不满百，常怀千岁忧。”

㉗极：尽。

【赏析】

这是陶渊明在游斜川时所作的山水诗，与诗人其他许多诗的结构相同。本诗首尾呼应，感伤于岁月易逝，中间部分描写山水和游玩畅饮的情景。因为感念生命即逝，所以趁着良辰去游玩。“气和天惟澄”以下八句写初春的胜景：天气澄静，鲂鱼飞驰在舒缓的水流中，沙鸥在空幽的山谷高飞鸣叫。放眼四顾于湖水间，又远望曾丘而若有所思。一片春意盎然，充满生机活力的景象。“提壶接宾侣，引满更献酬”写朋友之间互相敬酒，欢快自得。后半部分，诗人先由喜转悲，痛心于这种游赏不会持续，后又从悲中超越，“且极今朝乐”，明天的事明天再说。体现了陶渊明纵情自然和宴酒的洒脱。

乞食

饥来驱我去，不知竟何之。
行行至斯里，叩门拙言辞。
主人解余意，遗赠岂虚来①？

谈谐终日夕，觞至辄倾杯[②]。
情欣新知欢，言咏遂赋诗[③]。
感子漂母惠，愧我非韩才[④]。
衔戢知何谢，冥报以相贻[⑤]。

【注释】

①遗（wèi）：赠送。

②谈谐：谈话融洽。觞至辄倾杯：每次进酒都一饮而尽。

③新知：新交朋友。言咏：吟咏。

④感：感激。子：对人尊称。漂母惠：如漂母般恩惠。漂母，水边洗衣妇女。《史记·淮阴侯列传》载：当年韩信在城下钓鱼，一漂母怜他饥饿，施以饭食，韩信发誓日后必报答此恩。后韩信助刘邦灭项羽，被封楚王，果然赠漂母以千金。

⑤衔戢（jí）：深藏于心。戢，藏。冥报：死后报答。贻：赠送。

【赏析】

隐居的陶渊明，诗中时常记录他缺酒和衣食匮乏，但这首诗是专门写他乞讨食物，读之令人心酸落泪。“饥来驱我去”，可以看出作者的迫不得已。“拙言辞”的“拙”刻画逼真，传神地表达了作者难以启齿的样子。诗人已是濒临绝境，要通过乞食来维持生计，但竟然没有可去之处，“驱”字惟妙惟肖，幸运的是，主人慷慨大方，借给他粮食之后，还相谈饮酒终日。诗人和主人成为知己，一起言咏赋诗。最后四句写作者的感激之情和有恩必报的质朴和率真。引用“漂母饭韩”的典故，一方面表达诗人誓必报恩的决心，另一方面，他自愧无法和韩信相比，想必会潦倒终此生，又从侧面暗示了自己固穷守节的决心。

有会而作并序

旧谷既没，新谷未登[1]，颇为老农[2]，而值年灾，日月尚悠[3]，为患未已。登岁之功[4]，既不可希[5]。朝夕所资[6]，烟火裁通[7]。旬日已来，始念饥乏。岁云夕矣，慨然永怀。今我不述，后生何闻哉！

弱年逢家乏，老至更长饥。
菽麦实所羡，孰敢慕甘肥[8]。
惄如亚九饭，当暑厌寒衣[9]。
岁月将欲暮，如何辛苦悲。
常善粥者心，深念蒙袂非[10]。
嗟来何足吝，徒没空自遗[11]。
斯滥岂彼志，固穷夙所归[12]。
馁也已矣夫，在昔余多师[13]。

【注释】

①登：谷物成熟。
②颇为老农：久为老农。
③日月尚悠：日子还很长。悠,久远。
④登岁之功：一年之收成。
⑤希：希望，指望。
⑥资：资用。

⑦烟火裁通：仅能维持不断炊。裁，同“才”。

⑧菽（shū）：豆类之总称。甘肥：精美食品。

⑨惄（nì）如：饥饿愁苦状。《诗·周南·汝坟》：“未见君子，惄如调饥。”毛传：“惄，饥意也。调，朝也。”郑玄笺：“惄，思也，未见君子之时，如朝饥之思食。”亚九饭：亚，次于。九饭，即“九食”，见《拟古九首》“东方有一士”注②。《说苑·立节》载，子思居卫国，非常贫困，“三旬而九食”。当暑厌寒衣：暑天穿着寒衣，谓贫穷而无夏衣更换。

⑩善：称许，称赞。粥者：施粥以赈济饥民之人。蒙袂（mèi）：用衣袖蒙住脸。袂，衣袖。

⑪嗟来：不礼貌之招呼声。《礼记·檀弓下》：“齐大饥，黔敖为食于路，以待饿者而食之。有饿者蒙袂辑履，贸贸然来。黔敖左奉食，右执饮，曰：‘嗟！来食。’扬其目而视之，曰：‘予唯不食嗟来之食，以至于斯也。’从而谢焉，终不食而死。”吝：羞耻。徒没：徒然饿死。自遗：自弃于世。

⑫滥：无节制，胡作非为。《论语·卫灵公》：“君子固穷，小人穷斯滥矣。”夙所归：平素志向所期望达到者。

⑬馁（něi）：饥饿。在昔：过去。余多师：我有很多老师，意谓许多先贤值得效法。

【赏析】

这首诗的序文交代了写作背景，因为青黄不接，又值年灾，久为老农的陶渊明因饥乏有感，故作此诗。全诗可分两部分，前八句写作者的窘境。他都不敢奢望香米肥肉，只愿有豆麦就足矣，即便这样，他还是连三旬九食的子思还不如，夏天因没有替换的衣服，以至还穿着冬天的寒衣，诗人一贫如洗竟至此种境地。后八句写作者对待贫穷的态度，又可分两层。第一层前四句，作者表面上认为不食嗟来之食的人，白白饿死，不值得认同。但读完第二层的后四句，才知道诗人是正话反说。“穷斯滥”不是他的意愿，君子固穷，饥馁都不改节操才是陶渊明的所为。全诗体现了陶渊明安贫乐道、穷且益坚的高尚气节。

挽歌诗三首

有生必有死，早终非命促①。
昨暮同为人，今旦在鬼录②。
魂气散何之，枯形寄空木③。
娇儿索父啼，良友抚我哭④。
得失不复知，是非安能觉。
千秋万岁后，谁知荣与辱。
但恨在世时，饮酒不得足。

【注释】

①非命促：并非生命短促。意谓早死属于自然规律，生命并无长短之分。
②昨暮：昨晚。鬼录：鬼名册。
③枯形：尸骨。空木：棺材。
④索：寻找。

【赏析】

挽歌本是人死后，亲友所唱以示哀悼。本组《挽歌诗》共三首，却是陶渊明生前写自给自己的挽词。另外，诗人还有《自祭文》一篇，结合诗文，可以看出陶渊明对待人生和死亡的态度。《挽歌诗》组诗三首内部有其统一的顺序，第一首写入殓，“枯形寄空木”；第二首写祭奠，“肴案盈我前”；第三首写送葬，“送我出远郊”。本诗为第一首，开篇写人终有一死，早死也是自然规律，可见诗人豁达洒脱。“昨暮”对“今旦”，写出了死亡说来就来的可预知。死后魂魄四处飘荡，躯体被装进棺材。“得失不复知”以下四句写人死后，是非、得失、荣辱都灰飞烟灭，即使亲友伤心啼哭，他也会毫无知觉。所以作者只愿在世之时，多享受生活，饮足美酒。这首诗虽然在写死事，但却表达的是作者平生的及时行乐、不倾心于名利荣辱的志愿。

在昔无酒饮，今但湛空觞①。
春醪生浮蚁，何时更能尝②。
肴案盈我前，亲旧哭我傍③。
欲语口无音，欲视眼无光。
昔在高堂寝，今宿荒草乡④。
一朝出门去，归来良未央⑤。

【注释】

①湛（zhàn）：满。空觞：空酒杯。
②春醪（láo）：春天新酿之酒。浮蚁：酒上浮沫。
③肴（yáo）案：供桌上的盛满肉食之木盘。肴，肉食。案，食盘。盈：满。
④高堂：高大屋舍。荒草乡：荒草丛生之坟地。

⑤出门去：指出殡。良：的确，诚然。未央：未尽。

【赏析】

这首诗是《挽歌诗》组诗三首中的第二篇，记述人死后，亲友们奠祭的文字多，议论抒怀相对来说比较少。前半部分写作者死后入殓，亲旧在堂上用酒果等进行祭奠。生前贫穷，酒不能常得，死后酒杯却都斟满，可是诗人已经无法尝到。佳肴满盘，亲友哭泣，我也毫无知觉。后半部分写作者死后的状态：口不能说话，眼也看不见，而且马上要被葬到荒野之地。今天一旦出门，便不会再回来。通篇都是记叙，但诗人对死后的场景描写得真实细致。而透过文字，我们仍然能感受到陶渊明对生的渴望，对酒的嗜好和对离家不返的伤感。

荒草何茫茫，白杨亦萧萧①。
严霜九月中，送我出远郊②。
四面无人居，高坟正嶕峣③。
马为仰天鸣，风为自萧条。
幽室一已闭，千年不复朝④。
千年不复朝，贤达无奈何⑤。
向来相送人，各已归其家⑥。
亲戚或余悲，他人亦已歌。
死去何所道，托体同山阿⑦。

【注释】

①萧萧：风吹树木声。

②出远郊：出殡送葬。

③嶕峣（yáo）：高耸貌。

④幽室：墓穴。不复朝：不再见到白日。朝，早晨，天亮。

⑤贤达：有道德学问之人。

⑥向：刚才。

⑦托体：寄身。山阿（ē）：山丘。

【赏析】

这首诗是《挽歌诗》组诗三首中的最后一篇，因为主要写送葬，所以本诗的前半部分写送葬途中的景色。严霜九月，荒草茫茫，白杨萧萧，短短三句，就展现了一幅凄清苍凉的秋天原野图，衬托出死后带来的悲伤氛围。“四面无人居”以下四句则写坟墓周围的情况，四面无人，高坟围绕，马鸣风萧，是前四句感情色彩的延续。墓穴一旦关闭，便再也无法见到白日，写死后被埋后的情形。最后两句，“死去何所道，托体同山阿”，既然已经死去，便没有什么可说，死就像是重返自然，回到山丘当中，归于尘土。卒章显志，如神来之笔，夹叙夹议，表现了诗人视死如归的豁达情怀。

桃花源诗[1]

嬴氏乱天纪，贤者避其世[2]。
黄绮之商山，伊人亦云逝[3]。
往迹浸复湮，来径遂芜废[4]。
相命肆农耕，日入从所憩[5]。
桑竹垂余荫，菽稷随时艺[6]。
春蚕收长丝，秋熟靡王税[7]。
荒路暧交通，鸡犬互鸣吠[8]。
俎豆犹古法，衣裳无新制[9]。
童孺纵行歌，斑白欢游诣[10]。
草荣识节和，木衰知风厉[11]。
虽无纪历志，四时自成岁[12]。
怡然有余乐，于何劳智慧[13]？
奇踪隐五百，一朝敞神界[14]。
淳薄既异源，旋复还幽蔽[15]。
借问游方士，焉测尘嚣外[16]。
愿言蹑轻风，高举寻吾契[17]。

【注释】

①原有记一篇，已选入本丛书《汉魏六朝文》，不录。
②嬴氏：嬴政，即秦始皇。天纪：日月星辰历数，此指正常社会秩序。
③黄绮：夏黄公与绮里季。此指商山四皓。见《赠羊长史》注⑨。

之：到，往。伊人：那些人，此指桃花源中人。云：语助词。逝：去，逃离。

④往迹：去路，此指桃花源中人避乱之踪迹。浸：淹没，废弃。湮（yān）：淹没，埋没。来径：来路。

⑤相命：相呼。肆：致力。从所憩：回家休息。

⑥菽：豆类；稷：谷类。艺：种植。

⑦靡：无。

⑧暧（ài）：昏暗不明，隐蔽。交通：行走，往来。

⑨俎（zǔ）豆：古代祭祀所用礼器，此指祭祀仪式。新制：新式样。

⑩童孺：儿童。行歌：边走边唱。斑白：老人。游诣：游玩。诣，往，至。

⑪节和：季节暖和，意谓春天。木衰：草木凋零。风厉：风声凄厉，意谓秋天。

⑫纪历志：历书。四时：四季。

⑬余乐：不尽之快乐。于何劳智慧：意谓智慧或心机无处可用也。

⑭奇踪：奇异之踪迹，此指桃源人之踪迹。五百：自秦至晋五百余年。敞：敞开。神界：神仙般世界。

⑮淳：桃源淳朴之风。薄：世间浮薄之风。异源：根源不同。旋：随即。复：又。还幽蔽：回到隐蔽状态。

⑯游方士：游于方内之士，即世俗之人。《庄子·大宗师》："孔子曰：'彼，游方之外者也；而丘，游方之内者也。'"焉测：如何推知。尘嚣：尘世。

⑰言：语助词。蹑：踩，踏。高举：高飞。契：契合，投合，志同道合之人。

【赏析】

这首《桃花源诗》本有一篇序文，由于它结构完整，艺术性强，是一脍炙人口的绝佳散文，所以独立成篇为《桃花源记》。而本诗是一首政治理想诗，描绘了一个环境优美、耕种有时、生活富足、童叟咸乐、礼法循古、没有政治痕迹的人间天堂。全诗可以分成三个部分，前六句讲述桃花源的来历：秦国暴虐，夏黄公、绮里季和百姓各自避世隐居，后来往返的道路荒废，形成世外桃源。五至二十四句为第二部分，也是诗歌的主体，详写桃花源中人们的日常生活、劳作和人们之间的关系。他们单纯、快乐，没有机巧计谋，也没有赋税徭役。第三部分结尾，将桃花源的淳朴与尘世间的浇薄进行对比。世俗的人是不能测知和理解世外桃源的，而诗人却和他们志同道合。集中反映了陶渊明的政治和社会理想，体现了他对真和美的追求。

咏贫士七首

万族各有托，孤云独无依①。
暧暧空中灭，何时见余晖②？
朝霞开宿雾，众鸟相与飞③。
迟迟出林翮，未夕复来归④。
量力守故辙，岂不寒与饥⑤？
知音苟不存，已矣何所悲⑥。

【注释】

①万族：万物。族，品类。托：依托，依靠。孤云：喻高洁之贫士。
②暧暧：昏暗貌。余晖：残存之光影。
③宿雾：夜雾。相与：结伴。

④翮（hé）：鸟翅，此指孤鸟，喻贫士。未夕复来归：天未黑即飞回来。
⑤守故辙：坚持走旧道。
⑥已矣：犹罢了。

【赏析】

《咏贫士》组诗共七首，是陶渊明晚年的作品，大多是借古代安贫乐道的圣贤来表达自己不为名利所动，甘心贫苦的乐观精神。本诗是这组诗的第一首，前八句诗人以“孤云”和“迟鸟”自比，并分别同象征世人的“万族”和“众鸟”对比：万族有托，而孤云无依；众鸟迎着朝霞齐飞，而有一只鸟迟迟出林。说明了世俗之人醉心于功名利禄，而陶渊明与世无争。“故辙”指自己过去归隐田园的志向，既然他潜心做隐士，即便饱受饥寒，世上连一个知音也没有，也没有必要悲哀。既表现出诗人对归隐的执著，又反映出他对人世的旷达。

凄厉岁云暮，拥褐曝前轩①。
南圃无遗秀，枯条盈北园②。
倾壶绝余沥，窥灶不见烟③。
诗书塞座外，日昃不遑研④。
闲居非陈厄，窃有愠见言⑤。
何以慰吾怀？赖古多此贤⑥。

【注释】

①凄厉：凄凉寒冷。岁云暮：岁暮，年终。云，语助词。拥褐（hè）：身着粗布短衣。曝（pù）：晒。轩：有窗之长廊或小室。

②圃：菜园。秀：草木之花，此指菜苗。盈：满。

③余沥：剩余之酒。沥，滤过之清酒。《史记·滑稽列传》："侍酒于前，时赐余沥。"

④昃（zè）：太阳西斜。遑（huáng）：闲暇。研：研读。

⑤陈厄：孔子陈国受困。《论语·卫灵公》：孔子"在陈绝粮，从者病，莫能兴。子路愠，见曰：'君子亦有穷乎？'子曰：'君子固穷，小人穷斯滥矣。'"厄，困苦，危难。窃：私下。愠（yùn）：含怒，怨恨。

⑥贤：贤士，此指安贫乐道之古代名士。

【赏析】

这首诗是《咏贫士》七首组诗的第二首，与第一首一样，相当于后五首诗的序曲。此诗主要通过具体细节刻画诗人贫困的面貌。首二句总领全诗，凄凉寒冷的岁暮，诗人身穿粗布短衣立在窗前晒太阳。接下来四句写作者家中，南边苗圃没有绿色，北边田园也只剩下枯萎的枝条，酒壶里没有一滴酒，灶台上也没有一点烟火。诗人如果没有亲身经历，无法描写得如此逼真。特别是"倾"和"窥"二字，尤其传神。九、十句写诗书塞满了座位，但却无心研读，也从侧面烘托了作者担心温饱，无心学问。"闲居非陈厄，窃有愠见言"，引用《论语》，表达自己有愠色。陶渊明最后还是洒脱旷达，用古来圣贤宽慰自己，但仍然无法掩盖内心的矛盾。

荣叟老带索，欣然方弹琴①。

原生纳决履，清歌畅商音②。

重华去我久，贫士世相寻③。

弊襟不掩肘，藜羹常乏斟④。

岂忘袭轻裘，苟得非所钦⑤。

赐也徒能辩，乃不见吾心⑥。

【注释】

①荣叟：荣启期，春秋时隐士。老：年老。带索：以绳索为衣带。见《饮酒二十首》其二、其十一注。

②原生：原宪，孔子弟子。《韩诗外传》："原宪居鲁，环堵之室，茨以蒿莱，蓬户瓮牖，桷桑而无枢，上漏下湿，匡坐而弦歌。子贡乘肥马，衣轻裘，中绀而表素，轩不容巷，而往见之。原宪楮冠黎杖而应门，正冠则缨绝，振襟则肘见，纳履则踵决。子贡曰：'嘻！先生何病也！'原宪仰而应之曰：'宪闻之：无财之谓贫，学而不能行之谓病。宪贫也，非病也。若夫希世而行，比周而友，学以为人，教以为己，仁义之慝，车马之饰，衣裘之丽，宪不忍为之也。'子贡逡巡，面有惭色，不辞而去。原宪乃徐步曳杖，歌商颂而反，声沦于天地，如出金石。"纳：穿。决履：坏裂之鞋。畅：响亮。商音：原宪所唱《商颂》之曲。

③重华：舜之名。《庄子·秋水》："当尧舜而天下无穷人。"去：离。世：世代。寻：连续。

④弊襟：破衣。藜（lí）羹：野菜汤。藜，植物名。一年生草本，亦称"灰菜"，嫩叶可食。斟：通"糁"（sǎn），米粒。

⑤袭：穿。轻裘：轻暖之皮衣。苟得：不义而得。钦：恭敬，羡慕。

⑥赐：端木赐，字子贡，孔子弟子，善辩。《史记·仲尼弟子列传》："子贡利口巧辞，孔子常黜其辩。"乃不见吾心：意谓自己隐居不仕的决心是不可以为劝说所动摇的。

【赏析】

这首诗是《咏贫士》七首组诗的第三首，从此诗开始，陶渊明才开始在诗文中吟咏古代的贫士。前四句歌颂了春秋时的隐士荣启期和孔子弟子原宪。荣启期年老时已经穷得以绳索为衣带了，却“欣然方弹琴”；原宪的鞋连脚后跟都掉了，却“清歌畅商音”，从“欣然”与“畅”中可见二人的高贵品质。三王时代已经远去，世间到处是贫士，他们“弊襟不掩肘，藜羹常乏斟”，过着衣不蔽体，食不果腹的生活。最后四句，回到诗人自身，用议论来表达他的高尚节操。陶渊明也和普通人一样，喜欢穿轻暖的皮衣，但君子爱财，取之有度。如果是趋炎附势，苟且得来，他是不会羡慕的。所以在诗人眼中子贡虽然能言善辩，却不被他所称许。因为他坚守“不义而富且贵，于我如浮云”的准则。

安贫守贱者，自古有黔娄①。
好爵吾不荣，厚馈吾不酬②。
一旦寿命尽，蔽服仍不周③。
岂不知其极？非道故无忧④。
从来将千载，未复见斯俦⑤。
朝与仁义生，夕死复何求⑥？

【注释】

①黔娄：战国时齐国隐士。齐、鲁国君请其出来做官，坚辞不就。家中甚贫，死时衾不蔽体。其妻与他一样“乐贫行道”。见刘向《列女传》、皇甫谧《高士传》。

②好爵：高官。荣，一本作“萦”。馈（kuì）：赠。酬：答，应对。《高士传》载：黔娄“修身清洁，不求进于诸侯，鲁恭公闻其贤，遣使致礼，赐粟三千钟，欲以为相，辞不受。齐王又礼之，以黄金百斤聘为卿，又不就”。

③蔽服仍不周：破衣被盖不住尸身。《列女传·鲁黔娄妻传》：黔娄死，“曾子与门人往吊之。其妻出户，曾子吊之。上堂，见先生之尸在牖下，枕墼席槁，组袍不表。覆以布被，首足不尽敛，覆头则足见，覆足则头见”。

④极：穷困之极。非道故无忧：与道无关之事不值得忧虑。《论语·卫灵公》：“君子忧道不忧贫。”

⑤从来：从此以后，指自黔娄死后。斯俦：这等人物。

⑥《论语·里仁》：“朝闻道，夕死可矣。”

【赏析】

这首诗是《咏贫士》七首组诗的第四首，全诗不吝惜笔墨大力赞扬了战国时齐国的隐士黔娄。首二句平铺直叙，总起写安贫守贱的人，自古有黔娄。后四句具体而微，描述黔娄不以高贵的爵位为荣，丰厚的馈赠也不愿意接受。死的时候，一床被子竟连尸首都周盖不全。视爵位馈赠如粪土令人钦佩，家境贫寒至此令人扼腕。以上六句是记叙，后半部分转入议论。难道黔娄不知道自己穷困之极吗？他只是坚守“君子忧道不忧贫”的信念罢了。诗人感叹，未来千百年，不会再有能和黔娄相匹的贤德之人。“朝与仁义生，夕死复何求”，是作者以自己的意愿揣度黔娄的心志，更是陶渊明自己内心“守拙归园田”的独白。

袁安困积雪，邈然不可干①。
阮公见钱入，即日弃其官②。
刍藁有常温，采莒足朝飡③。
岂不实辛苦？所惧非饥寒。
贫富常交战，道胜无戚颜④。
至德冠邦闾，清节映西关⑤。

【注释】

①袁安：字邵公，后汉汝南汝阳（今河南商水）人。《汝南先贤传》载，袁安客居洛阳，时大雪，“洛阳令身出案行，见人家皆除雪出，有乞食者。至袁安门，无有行路。谓安已死，令人除雪入户，见安僵卧。问何以不出。安曰：‘大雪，人皆饿，不宜干人。’令以为贤，举为孝廉也”。邈然：高远貌。干：冒犯。

②阮公：其人其事未详。

③刍藁（gǎo）：喂牲口之干草。莒（jǔ）：芋头。飡：同“餐”。

④贫富常交战：安贫与求富两种思想在内心产生斗争。《韩非子》：“子夏曰：‘吾入见先王之义则荣之，出见富贵之乐又荣之，两者战于胸中，未知胜负，故臞（qú，瘦）。今先王之义胜，故肥。’”道胜：道义取胜。戚：忧愁。

⑤至德：至高之品德。冠邦闾：名冠家乡。邦，国。闾，古代二十五家为一闾，泛指乡里。清节：清高之节操。西关：或指阮公故里。

【赏析】

这首诗是《咏贫士》七首组诗的第五首，歌咏东汉袁安和生平事迹不详的阮公。章法结构与本组第四首类似。首四句叙述袁安和阮公的事迹。袁安被积雪所困，却僵卧不愿给别人增添麻烦。有人给阮公送钱，他当天立马辞官归家。“刍藁有常温，采莒足朝飧”，这些贫士，安于贫贱，知足常乐，在床上铺些干草就觉得足够温暖，采点野生的植物就能充当一顿早饭。“岂不实辛苦？所惧非饥寒”二句的内容和手法也与本组第四首诗“岂不知其极？非道故无忧”相同，均表达了这些贫士与诗人坚守道义，不畏辛苦的高尚节操。虽然现实中，内心也有嫌贫爱富的矛盾冲突，但他们总是能用道义战胜追求世俗利禄之心。

仲蔚爱穷居，绕宅生蒿蓬①。
翳然绝交游，赋诗颇能工②。
举世无知者，止有一刘龚③。
此士胡独然？实由罕所同④。
介焉安其业，所乐非穷通⑤。
人事固以拙，聊得长相从⑥。

【注释】

①仲蔚：张仲蔚，东汉平陵（今陕西咸阳）人。《高士传》谓其“隐身不

仕，……善属文，好诗赋。常居穷素，所处蓬蒿没人。闭门养性，不治荣名。时人莫识，唯刘龚知之”。

②翳然：隐蔽貌。

③刘龚：字孟公，刘歆之侄，与仲蔚友善。见《后汉书》卷三十上《苏竟传》。

④此士：即张仲蔚。胡：何，为什么。

⑤介：耿介，耿直。业：此指兴趣志向。所乐非穷通：不以穷通为意。《庄子·让王》：“古之得道者，穷亦乐，通亦乐，所乐非穷通也。”

⑥人事：世俗交往。固：本来。相从：意谓追随张仲蔚。

【赏析】

这首诗是《咏贫士》七首组诗的第六首，歌咏东汉隐士张仲蔚，并兼及他的知音刘龚。诗的开篇描写了张仲蔚的三个特点：穷居、绝交游和工赋诗。“绕宅生蒿蓬”写其家徒四壁的清贫境况。“爱”和“翳然”显示出他自得其乐的洒脱。举世没有人知道和理解张仲蔚，只有刘龚一人是他的知音。作者表面上是在为张仲蔚起码有一知己感到安慰，其实深层次，我们读出来的是陶渊明深藏在内心的凄凉与悲哀。全世界只有张、刘二人相依取暖，惺惺相惜，说明世人都嫌贫爱富，汲汲于出仕为官，“实由罕所同”，与他们同道的人实在是太少。最后四句是诗人自己心志的宣言：穷亦乐，通亦乐，欣然安于辞官归隐，安贫乐道。

昔在黄子廉，弹冠佐名州[①]。
一朝辞吏归，清贫略难俦[②]。
年饥感仁妻，泣涕向我流[③]。
丈夫虽有志，固为儿女忧[④]。
惠孙一晤叹，腆赠竟莫酬[⑤]。
谁云固穷难？邈哉此前修[⑥]。

【注释】

①黄子廉：《三国志·黄盖传》注引《吴书》："黄盖乃故南阳太守黄子廉之后也。"王应麟《困学纪闻》引《风俗通》："颍水黄子廉每饮马，辄投钱于水，其清可见矣。"弹冠：弹去帽上灰尘，比喻准备出仕。《汉书·王吉传》："吉与贡禹为友，世称王阳在位，贡公弹冠，言其取舍同也。"意谓王、贡二人友善，王吉做官，贡禹亦准备出仕。佐：辅治。

②难俦：难比，难等同。

③仁妻：贤惠之妻。

④此二句仁妻之言也。

⑤惠孙：人名，其事未详，当与黄子廉为同时人。晤：会面，相遇。腆(tiǎn)：丰厚。莫酬：不接受。

⑥前修：前代贤士。

【赏析】

这首诗是《咏贫士》七首组诗的最后一首，集中赞美黄子廉。可惜黄的生平事迹不详，无法通过他的行事来帮助我们理解诗文，只能反过来透过诗文猜测他的人格。据陶渊明的描述，黄子廉在某州做官，但一朝便辞职归家。黄家清贫之甚，以至他的妻子向他哭诉她家的年荒。“丈夫虽有志，固为儿女忧”，真实反映了生活中，隐士解甲归田与赡养妻室的矛盾。即便如此，黄子廉仍然坚守素昔之志，惠孙的馈赠也拒之门外。“谁云固穷难？邈哉此前修”，固穷、守穷确实难，也因此彰显黄子廉可贵，难以企及的高尚情操。陶渊明整首诗在夸黄子廉的同时，也透露出自己守节不移的态度。

咏二疏①

大象转四时，功成者自去②。
借问衰周来，几人得其趣③？
游目汉廷中，二疏复此举。
高啸返旧居，长揖储君傅④。
饯送倾皇朝，华轩盈道路⑤。
离别情所悲，余荣何足顾⑥。
事胜感行人，贤哉岂常誉⑦。
厌厌闾里欢，所营非近务⑧。
促席延故老，挥觞道平素⑨。
问金终寄心，清言晓未悟⑩。
放意乐余年，遑恤身后虑⑪。
谁云其人亡，久而道弥著⑫。

【注释】

①二疏：西汉疏广、疏受叔侄，东海兰陵（今山东枣庄）人。《汉书·疏广传》载：疏广字仲翁，宣帝时为太子太傅，兄子受为太子少傅，任职五年。广谓受曰："吾闻'知足不辱，知止不殆'，'功遂身退，天之道'也。今仕官至二千石，宦成名立，如此不去，惧有后悔，岂如父子相随出关，归老故乡，以寿命终，不亦善乎?"二人遂辞职还乡。当离去时，公卿大夫等送行者车百辆，观者皆曰："贤哉二大夫!"皇帝和太子亦赐予很多财物，二疏还乡后，便以赐金日与亲友宾客宴饮共乐，而不留金为子孙置办房屋田产。

②大象：天，天道，大自然。《老子》："大象无形。"又："执大象。"王弼注："大象，天象之母也。"河上公注："象，道也。"转：运行。

③衰周来：自东周以来。趣：旨趣，意旨。

④高啸：犹高歌，形容自由自在，无拘无束。长揖：古代礼节，表辞谢等。储君傅：太子太傅、少傅之职。储君,太子。

⑤饯（jiàn）送：以酒食送行。华轩：华贵之轻车。

⑥余荣：多余之荣耀。

⑦胜：盛大，佳妙。贤哉岂常誉：《汉书·疏广传》："观者皆曰：'贤哉二大夫!'"常，普通，一般。

⑧厌厌：安逸、安详貌。《诗·小雅·湛露》："厌厌夜饮。"毛传："厌厌，安也。"闾里：乡里。近务：眼前平凡之事。

⑨促席：接席，座位靠近。延：邀请。挥觞：举杯。平素：往日之事。

⑩问金终寄心：疏广子孙托人问疏广，他们关心者乃是疏广留有多少钱财为后人置办房舍田产。参见《杂诗十二首》其六注⑦。清言：明澈通达之言。晓未悟：晓谕不明白之人。

⑪放意：纵情。余年：晚年。遑：闲暇。恤：忧虑。《诗·邶风·谷风》："遑恤我后。"郑玄笺："遑，暇也。恤，忧也。"

⑫其人：此指二疏。弥：更加。著：显著，昭著。

【赏析】

陶渊明《杂诗》组诗中的第六首“有子不留金”和《饮酒》组诗中的第十九首“虽无挥金事”都是对西汉疏广、疏受叔侄的称赞。这首诗则专门歌颂二疏。首六句自问自答，自东周以来能做到知足不辱、功成身退的有几人？用以引出二疏。“高啸返旧居”以下六句，叙述二疏辞官告别的场景。“倾”和“盈”字写出了送别场面的浩荡，说明二人从高官厚禄的得意之时归隐，但他俩对这种荣誉却不屑一顾。“厌厌闾里欢”以下四句写疏广和疏受归隐闾里后自在安逸的生活。他们把财物全用来与亲友宴饮，纵情欢娱，而不考虑身后之事，也不给子孙置办房屋田产，表达了二人生性放达，不以钱财为念的真性情。“谁云其人亡，久而道弥著”，是诗人对他们名传千古的评价，同时侧面表达了陶渊明对二人的钦佩之情。

咏荆轲[①]

燕丹善养士，志在报强嬴[②]。
招集百夫良，岁暮得荆卿[③]。
君子死知己，提剑出燕京[④]。
素骥鸣广陌，慷慨送我行[⑤]。

雄发指危冠，猛气冲长缨⑥。
饮饯易水上，四座列群英⑦。
渐离击悲筑，宋意唱高声⑧。
萧萧哀风逝，淡淡寒波生⑨。
商音更流涕，羽奏壮士惊⑩。
公知去不归，且有后世名⑪。
登车何时顾，飞盖入秦庭⑫。
凌厉越万里，逶迤过千城⑬。
图穷事自至，豪主正怔营⑭。
惜哉剑术疏，奇功遂不成⑮！
其人虽已没，千载有余情⑯。

【注释】

①荆轲：战国时卫人，著名刺客，有荆轲刺秦王、图穷匕首见之典，事见《战国策·燕策三》及《史记·刺客列传》。

②燕丹：战国时燕国太子，名丹。善：优待。士：门客。报：报复，报仇。强嬴：强秦。秦王姓嬴。

③百夫良：百里挑一之勇士。荆卿：荆轲。

④死知己：为知己而死。燕京：燕国都城，在今北京。

⑤素骥：白色骏马。广陌：大路。

⑥雄发指危冠：怒发冲冠貌。危冠，高冠。缨：系冠之带。

⑦饮饯：饮酒送别。易水：水名，在今河北境内。

⑧渐离：高渐离，燕国人，与荆轲友善，擅长击筑。《史记·刺客列传》："荆轲嗜酒，日与狗屠及高渐离饮于燕市，酒酣以往，高渐离击筑，荆轲和而歌于市中，相乐也，已而相泣，旁若无人者。"筑：古击弦乐器，形似筝。宋意：当

为燕太子丹所养之士。《淮南子·泰族训》:“荆轲西刺秦王，高渐离、宋意为击筑而歌于易水之上。”

⑨萧萧：风声。淡淡：水波涌动貌。《战国策·燕策三》载，荆轲临行时歌曰：“风萧萧兮易水寒，壮士一去兮不复还。”

⑩商音：古代乐调分宫、商、角、徵(zhǐ)、羽五声音阶，商即五音之一，其声凄凉。羽：亦古乐五音之一，其声悲壮激越。《战国策·燕策三》：“至易水上，既祖，取道。高渐离击筑，荆轲和而歌，为变徵之声，士皆垂泪涕泣……复为羽声慷慨，士皆瞋目，发尽上指冠。”

⑪公知：明知。

⑫顾：回头看。《战国策·燕策三》：“于是荆轲就车而去，终已不顾。”飞盖：车行迅速。盖，车盖，代指车。

⑬凌厉：奋勇直前貌。逶迤：曲折前行貌。

⑭图穷：地图展开至尽头。《史记·刺客列传》：“轲既取图奏之，秦王发图，图穷而匕首见。”事：行刺之事。豪主：指秦王嬴政。怔营：惊恐貌。

⑮剑术疏：剑术不精。荆轲刺秦王失败，被杀。《史记·刺客列传》：“鲁勾践已闻荆轲之刺秦王，私曰：‘嗟乎，惜哉其不讲于刺剑之术也!”

⑯其人：指荆轲。没：死。

【赏析】

隐居不仕的陶渊明向来以《归园田居》等诗篇为代表的平淡风格著称，但这首《咏荆轲》，咏史叙事却豪放悲怆。本诗按其内容可分为四部分：前四句为第一部分，写燕丹为了报仇，招募到荆轲，引起下文。第五至十八句为第二部分，写易水送别的场景，是全诗的主体。提剑出京、雄发冲冠、气指长缨，荆轲勇猛的英雄形象被诗人刻画得淋漓尽致。击筑高唱，伴随着萧萧哀风和淡淡寒波，表现出诀别的悲壮。第十九至第二十八句为第三部分，写荆轲赴秦刺杀嬴政未成。登车不顾，飞盖入庭，写出了荆轲毅然决然和义无反顾的豪壮之举。而全诗对他刺杀秦王却一笔带过，将重点放在渲染送别的氛围，详略安排得当。最后两句为第四部分，表达了诗人对荆轲的钦佩和惋惜之情。

读《山海经》十三首

孟夏草木长，绕屋树扶疏①。
众鸟欣有托，吾亦爱吾庐。
既耕亦已种，时还读我书。
穷巷隔深辙，颇回故人车②。
欢然酌春酒，摘我园中蔬。
微雨从东来，好风与之俱。
泛览周王传，流观山海图③。
俯仰终宇宙，不乐复何如④？

【注释】

①孟夏：初夏，农历四月。扶疏：枝叶繁盛貌。

②隔深辙：意谓距离大路很远。辙，车迹，代指大路。颇回故人车：连故人车子也掉头回去，意谓少有故人来往。回，回转，掉转。

③泛览：泛泛浏览。周王传：即《穆天子传》。流观：意同泛览。山海图：即

《山海经图》。

④俯仰：俯仰之间，谓时间很短。终宇宙：遍识宇宙之事。

【赏析】

《读〈山海经〉》组诗共十三首，是陶渊明在躬耕之余，读《山海经》和《穆天子传》二书时的感想和启发，诗中多借吟咏神话故事来寄托他的情感与意愿。本诗是《读〈山海经〉》十三首中的第一首，与后十二首不同，这首诗可视为这组诗的序文，记叙了诗人日常的耕种、饮酒、读书的闲适生活。诗中有多处写景名句，“孟夏草木长，绕屋树扶疏”写出夏天生机勃勃的景象；“微雨从东来，好风与之俱”，耕种刚罢，微雨润物，孟夏读书，又遇良风习习，一切都是“欢然”和快乐的氛围。“穷巷隔深辙，颇回故人车”，表明作者欣然归隐，与世无争。“泛览周王传，流观山海图”交代了这组诗创作的过程。作者不是皓首穷经似的苦读，而是饶有兴致地“泛览”和“流观”，传神地写出了他耕读并举的美好生活。

玉台凌霞秀，王母怡妙颜①。
天地共俱生，不知几何年②。
灵化无穷已，馆宇非一山③。
高酣发新谣，宁效俗中言④！

【注释】

① 玉台：西王母居处。《山海经·西山经》："又西三百五十里，曰玉山，是西王母所居也。"凌霞：高出云霞之上。怡：安适愉快。妙颜：神仙姿貌，美容貌。

② 天地共俱生：谓王母与天地同生。几何年：多少岁。

③ 灵化：神灵变化。馆宇非一山：《山海经》之《西山经》谓西王母居玉山；《大荒西经》谓西王母处"昆仑之丘"，郭璞注："西王母……亦自有离宫别窟，游息之处，不专住一山也。"《穆天子传》谓西王母居于弇（yǎn）山，故曰"馆宇非一山"。

④ 高酣：高会酣饮。发新谣：《穆天子传》载，西王母为周穆王作谣云："白云在天，山陵自出。道里悠远，山川间之。将子无死，尚能复来。"俗中言：凡俗之言。

【赏析】

这是《读〈山海经〉》十三首中的第二首，专门描写西王母。首二句写西王母的住处高耸和她的仙姿美貌。"凌"和"秀"，一写玉台之高，一写玉台之美，气势不凡。三、四句写王母与天地共生，长生不死。五、六句写她的神灵变化多端，居住的楼台馆舍连绵不绝。美貌、长生、神灵和居住玉山瑶台，满足了我们对神仙所有的期许。一反平日写田园诗的冲淡闲雅，诗人在诗中营造了一个气势恢弘、境界开阔的仙境。结尾二句夹议于叙，高歌酣饮，并强调歌谣不俗，实则表露自身清新脱俗的节操。

迢递槐江岭，是谓玄圃丘①。
西南望昆墟，光气难与俦②。
亭亭明玕照，落落清瑶流③。
恨不及周穆，托乘一来游④。

【注释】

①迢递（dì）：高远貌。槐江岭：即槐江之山。《山海经·西山经》："槐江之山……多藏琅玕、黄金、玉，其阳多丹粟，其阴多采黄金、银。实惟帝之平圃，神英招司之……爰有淫水，其清洛洛。"玄圃：即平圃。

②昆墟：即昆仑山。《山海经·西山经》："南望昆仑，其光熊熊，其气魂魂。"俦：相比。

③亭亭：高耸貌。玕（gān）：琅玕树，即珠树。

④周穆：周穆王。《穆天子传》言其驾八骏游于玄圃。托乘：犹今言"搭车"。

【赏析】

这是《读〈山海经〉》十三首中的第三首，赞美天帝所居的玄圃。首二句说槐江岭就是玄圃丘，朴实平易。"迢递"二字写出了槐江岭高远难企的地势。三、四句写昆仑山在玄圃的西南，灵光和仙气举世无双。《山海经》原文写作"南望昆仑，其光熊熊，其气魂魂"，可知诗人是化用得来。"亭亭明玕照，落落清瑶流"，对仗自然工整，"亭"、"落"二字叠用，写出了琅玕树的高耸和瑶池水的灵动，"明"和"清"又写出了各自的亮丽和清澈，把仙界想象得奢美而逼真。最后两句议论作结，诗人怅恨无法跟随周穆王一同遨游，想法奇特，也从侧面烘托了他对玄圃的赞美和向往之情。

丹木生何许？乃在峚山阳①，
黄花复朱实，食之寿命长。
白玉凝素液，瑾瑜发奇光②。
岂伊君子宝，见重我轩黄③。

【注释】

①丹木：《山海经·西山经》："又西北四百二十里，曰峚（mì）山，其上多丹木，员叶而赤茎，黄华而赤实，其味如饴，食之不饥。丹水出焉，西流注于稷泽，其中多白玉，是有玉膏，其原沸沸汤汤，黄帝是食是飨。是生玄玉，玉膏所出，以灌丹木。丹木五岁，五色乃清，五味乃馨。黄帝乃取峚山之玉荣，而投之钟山之阳。瑾瑜之玉为良，坚粟精密，浊泽而有光。五色发作，以和柔刚。天地鬼神，是食是飨，君子服之，以御不祥。"峚，一作"密"。山阳：山南。

②瑾瑜：皆美玉。

③伊：彼。君子宝：即上引"君子服之，以御不祥"之意。见重：被重视。轩黄：黄帝轩辕氏。

【赏析】

这是《读〈山海经〉》十三首中的第四首，赞美生长在峚山上的丹木、瑾瑜和丹水中的白玉。与第三首开头二句类似，本诗首二句采用问答形式，叙述丹木生长在峚山之南。三、四句写丹木花朵和果实的颜色，强调丹木果实吃了可以延年益寿的特性。"白玉凝素液，瑾瑜发奇光"，是对白玉和瑾瑜神奇之处的描写。《山海经》上记载，白玉中有玉膏，“黄帝是食是飨”。瑾瑜之玉为良，“君子服之，以御不祥”。诗文最后两句即化用《山海经》中的文字而来，诗人加“岂伊”二字，增添原文没有的转折起伏，这就是诗歌的魅力和陶渊明的高明之处。

翩翩三青鸟，毛色奇可怜①。
朝为王母使，暮归三危山②。
我欲因此鸟，具向王母言③：
在世无所须，唯酒与长年④。

【注释】

①三青鸟：《山海经·西山经》：“三危之山，三青鸟居之。”又《海内北经》：“其南有三青鸟，为西王母取食，在昆仑墟北。”奇可怜：甚可爱。

②王母使：西王母之信使。后世因称传信使者为青鸟。

③因：依靠，凭借。具：通“俱”。

④须：通“需”，需要。长年：长寿。

【赏析】

这是《读〈山海经〉》十三首中的第五首，描写西王母的信使三青鸟。首二句写翩翩飞翔的三青鸟，羽毛和颜色非常可爱。《山海经》中并没有三青鸟毛色的描述，所以“奇可怜”是诗人的想象和文学加工。“朝为王母使，暮归三危山”，记述三青鸟并非普通的鸟，而是西王母的信使，早出晚归。诗文的后半部分，诗人想象奇特，想借助三青鸟向西王母传信：希望有喝不完的酒和长寿不衰老。酒和长寿的愿望与神仙神人的意境相符，也是诗人素昔的志向。作者巧妙地将个人意愿与青鸟和西王母结合在一起，浑然无迹。

逍遥芜皋上，杳然望扶木①。
洪柯百万寻，森散覆旸谷②。
灵人侍丹池，朝朝为日浴③。
神景一登天，何幽不见烛④？

【注释】

①芜皋：即无皋。《山海经·东山经》："无皋之山，南望幼海，东望榑木。"杳然：遥远貌。扶木：即榑木，亦作"扶桑"或"榑桑"，神话中树木名。《山海经·大荒东经》："汤谷上有扶木，一日方至，一日方出，皆载于乌。"《山海经·海外东经》："汤谷上有扶桑，十日所浴。"郭璞注："扶桑，木也。"

②洪柯：大树枝。寻：古代长度单位，八尺为一寻。森散：枝叶四布貌。旸（yáng）谷：即"汤谷"。《淮南子·天文训》："日出于旸谷，浴于咸池，拂于扶桑，是谓晨明。"《说文》："旸，日出也。"

③灵人：羲和。《山海经·大荒南经》："东南海之外，甘水之间，有羲和之国，有女子名曰羲和，方日浴于甘渊。羲和者，帝俊之妻，生十日。"丹池：即甘渊或咸池。

④神景：日光。幽：幽暗之处。烛：照亮。

【赏析】

这是《读〈山海经〉》十三首中的第六首，写《山海经》中的太阳。诗人想象逍遥遨游在芜皋之上，远远望见扶木，“逍遥”和“杳然”写出了缥缈虚幻的神仙灵境。“洪柯百万寻，森散覆旸谷”，前一句直接写扶桑木的高大，后一句通过扶桑木的枝叶覆盖间接表现旸谷的巨大。灵人羲和侍立在丹池旁，每天早上为太阳洗浴。《山海经》把太阳清晨从海边升起，联想成是有神人在为之洗澡，比喻新奇而又贴切，所以被陶渊明化成诗句。“神景一登天，何幽不见烛”，把日光写成“神景”，只要太阳升起，每一处幽暗的角落都会被照亮，富有哲理，同时也表达了诗人对太阳的赞叹之情。

粲粲三珠树，寄生赤水阴①。
亭亭凌风桂，八干共成林②。
灵凤抚云舞，神鸾调玉音③。
虽非世上宝，爰得王母心④。

【注释】

①粲粲：光彩鲜艳貌。三珠树：《山海经·海外南经》：“三珠树在厌火北，生赤水上。其为树如柏，叶皆为珠。”赤水阴：赤水南岸。

②凌风：迎风。八干：八株桂树。《山海经·海内南经》：“桂林八树，在番隅东。”郭璞注：“八树而成林，言其大也。”

③抚云舞：云中起舞。鸾（luán）：传说中凤凰一类神鸟。玉音：悦耳之

音。《山海经·海外西经》：“鸾鸟自歌，凤鸟自舞。”

④爰：乃。

【赏析】

这是《读〈山海经〉》十三首中的第七首，诗人将不在一处的三珠树、八干桂、灵凤和神鸾合集于一首诗中，用“虽非世上宝，爰得王母心”一句统摄，匠心独具。《山海经》记载三珠树，叶皆为珠，所以作者用“粲粲”形容它光彩鲜艳的样子。“亭亭”写桂树的高，八棵便可成为一片森林，又写其大。“凌”既写出了风的凛冽，也写出了桂树的风姿。短短两句十字，将桂树的样貌神态描摹几尽。“灵凤抚云舞，神鸾调玉音”，对仗工整，抚云而舞，金声玉应，只有仙界才有的，不可企及的生活，令人心驰神往。

自古皆有没，何人得灵长①？
不死复不老，万岁如平常。
赤泉给我饮，员丘足我粮②。
方与三辰游，寿考岂渠央③。

【注释】

①没（mò）：通“殁”，死亡。灵：祐，福。长：长寿。

②《山海经·海外南经》交胫国：“不死民在其东，其为人黑色，寿，不死。”郭璞注：“有员丘山，上有不死树，食之乃寿。亦有赤泉，饮之不老。”

③三辰：日、月、星。考：老。渠：同“遽”，忽然，马上。央：尽，此指死亡。

【赏析】

这是《读〈山海经〉》十三首中的第八首，写《山海经》中的长生不死。感叹时光飞逝、人生易老，是每个生命个体都有的体验。陶渊明也在他的很多诗文中表达了对人生苦短的无奈心情。“自古皆有没，何人得灵长”，虽然诗人自知人都有一死，根本没有人会违背自然规律长生不老，但《山海经》中关于“不死民”的记载，仍能引起他的关注。“不死复不老，万岁如平常”，是诗人和我们每个人的梦想。“有员丘山，上有不死树，食之乃寿。亦有赤泉，饮之不老”，诗中的五、六两句就是源于《山海经》这一段的记载。熔铸剪裁入诗后，精炼紧凑，富于诗意。最后两句，作者又发挥想象力，与日、月、星三辰同游于太空，并且拥有无限的寿命，充满神话色彩。

夸父诞宏志，乃与日竟走①。
俱至虞渊下，似若无胜负②。
神力既殊妙，倾河焉足有③？
余迹寄邓林，功竟在身后④。

【注释】

①夸父：传说中神人名。《山海经·海外北经》：“夸父与日逐走，入日，渴

欲得饮，饮于河渭，河渭不足，北饮大泽。未至，道渴而死。弃其杖，化为邓林。”诞：放纵，夸张。乃：竟然。

②虞渊：传说中日落处。《山海经·大荒北经》：“夸父不量力，欲追日景，逮之于禺谷。将饮河而不足也，将走大泽，未至，死于此。”郭璞注：“禺渊，日所入也。今作虞。”

③殊妙：非凡，奇妙。焉足有：何足之有，即不足。

④余迹：遗迹。寄：寄留，留存。

【赏析】

这是《读〈山海经〉》十三首中的第九首，写夸父逐日，是组诗中的名篇。《山海经·海外北经》记录夸父逐日是中立语气，未见褒贬。但《大荒北经》却说夸父“不量力”，略带贬损。而陶渊明这首诗却大力歌颂和赞扬夸父。“诞宏志”“无胜负”“神力殊妙”“功在身后”，句句都是对夸父志向、神力和功绩的赞美。《山海经》原文的记载平实无波折，陶渊明的诗却气势恢弘，波澜壮阔，将夸父与太阳赛跑的过程刻画得栩栩如生。例如，原文“弃其杖，化为邓林”，诗人化为“余迹寄邓林”，简洁凝练。“寄”字传神，好似夸父并未渴死，而是暂寄邓林，等日后恢复再与太阳比试。

精卫衔微木，将以填沧海①。
刑天舞干戚，猛志故常在②。
同物既无虑，化去不复悔③。

徒设在昔心，良辰讵可待④。

【注释】

①精卫：神话中鸟名。《山海经·北山经》："发鸠之山，其上多柘木，有鸟焉，其状如乌，文首、白喙、赤足，名曰精卫，其鸣自詨。是炎帝之少女，名曰女娃。女娃游于东海，溺而不返，故为精卫。常衔西山之木石，以堙于东海。"

②刑天舞干戚：一作"形夭无千岁"。刑天，神名。干，盾。戚，斧。《山海经·海外西经》："刑天与帝至此争神，帝断其首，葬之常羊之山。乃以乳为目，以脐为口，操干戚以舞。"

③同物：同化于物，即死亡。无虑：无须挂怀。化去：死亡。

④徒设：空有。在昔心：往日之雄心。良辰：良机。讵：岂。

【赏析】

这是《读〈山海经〉》十三首中的第十首，歌咏精卫填海和刑天争神，是这组诗中最为后人称道的一首。与这组诗中的其他诗篇单纯地咏《山海经》中的神人仙迹不同，这首诗的后半部分全属议论，表达了自己的思想和心志。"微木"与"沧海"对举，强烈的反差体现了精卫的毅力和雄心。刑天的威猛志向则通过直接书写传达出来。"同物既无虑，化去不复悔"，是诗人私自揣度精卫和刑天的内心，也是他自己内心世界的反映。精卫和刑天虽然有往昔的雄心壮志，但如愿以偿的时机不会重来，陶渊明最后表达了对二者行为的叹惜之情。

巨危肆威暴，钦駓违帝旨①。

窫窳强能变，祖江遂独死[②]。
明明上天鉴，为恶不可履[③]。
长枯固已剧，鵕鹗岂足恃[④]。

【注释】

①巨危肆威暴:《山海经·海内西经》:“贰负（古天神，人面蛇身）之臣曰危，危与贰负杀窫窳。帝乃梏之疏属之山，桎其右足，反缚两手与发，系之山上木。”钦䲹(pī)违帝旨:《山海经·西山经》:“又西北四百二十里曰钟山。其子曰鼓，其状如人面而龙身，是与钦䲹杀葆江于昆仑之阳，帝乃戮之钟山之东曰瑶崖。钦䲹化为大鹗，其状如雕而黑文白首，赤喙而虎爪，其音如晨鹄，见则有大兵。鼓亦化为鵕鸟，其状如鸱，赤足而直喙，黄文而白首，其音如鹄，见则其邑大旱。”

②窫窳（yà yǔ）:《山海经·北山经》:“又北二百里，曰少咸之山，无草木，多青碧。有兽焉，其状如牛而赤身，人面马足，名曰窫窳，其音如婴儿，是食人。”又《海内南经》:“窫窳，龙首，居弱水中。”郭璞注:“窫窳，本蛇身人面，为贰负臣所杀，复化而成此物也。”

③鉴：照，审察。履：行。

④枯：指臣危被梏。固已剧：本来就已痛苦。剧，痛苦。鵕（jùn）鹗：鼓和钦䲹死后化为鵕鹗。恃：凭仗。

【赏析】

这是《读〈山海经〉》十三首中的第十一首，一反本组其他诗篇赞美《山海经》中的神人异物，本诗主要写巨危和钦䲹的残暴，宣扬了恶有恶报的观念。全诗首四句根据《山海经》叙述了危与贰负杀窫窳，后窫窳又化为龙首人身以及鼓与钦駓杀祖江于昆仑之阳的故事。“明明上天鉴，为恶不可履”，说明冥冥之中，上天自有明鉴，恶有恶报，要以危和钦駓为戒。最后两句，重申危被天帝械梏在疏属之山，鼓和钦駓虽死后化为鵕鹗，也不足为患。

鸱鴸见城邑，其国有放士①。
念彼怀王世，当时数来止②。
青丘有奇鸟，自言独见尔③。
本为迷者生，不以喻君子④。

【注释】

①鸱鴸(chī zhū):《山海经·南山经》:樻山“有鸟焉，其状如鸱而人手，其音如痺，其名曰鴸，其鸣自号也，见则其县多放士”。见(xiàn): 出现。放士: 被放逐之贤士。

②怀王: 楚怀王，战国时楚国君主。屈原即在怀王时被放逐。数来止: 多次飞来栖息。

③青丘有奇鸟:《山海经·南山经》: 青丘之山“有鸟焉，其状如鸠，其音若呵，名曰灌灌，佩之不惑”。自言独见尔: 谓灌灌鸟独自出现为人所不知。

④此二句谓灌灌鸟本为迷者所生，不必以其晓谕明达之人。

【赏析】

这是《读〈山海经〉》十三首中的第十二首，写《山海经》中的鸱鴸和青丘山上的鸟，联想到战国时期楚怀王放逐屈原之事。如果鸱鴸在城邑中出现，那么这个国家就会有贤士遭到疏远放逐。这本是《山海经》中的无稽传言，陶渊明却将这种谣传与现实中的楚怀王放逐屈原相关联，独具慧眼。诗的后半部分，写青丘山的奇鸟，有它在身边便不会迷惑，保持清醒。“本为迷者生，不以喻君子”，将糊涂之人与明达的君子对举，认为圣明的君主必当奖掖贤良，不会迷失双眼，反映了诗人对开明政治的渴望。

岩岩显朝市，帝者慎用才①。
何以废共鲧，重华为之来②？
仲父献诚言，姜公乃见猜③。
临没告饥渴，当复何及哉④！

【注释】

①岩岩：高峻貌，此指显赫大臣。《诗·小雅·节南山》：“节彼南山，维石岩岩。赫赫师伊，民具尔瞻。”显朝市：在朝廷中显露头角。

②废：因不贤而被废弃处置。共鲧（gǔn）：共工、鲧，皆帝尧之臣。重华：虞舜名。

③仲父：管仲。齐桓公尊称管仲为仲父。姜公：齐桓公，齐为姜姓。见猜：被猜疑。《韩非子·十过》《史记·齐太公世家》等载，管仲命危时，齐桓公问以国政，管仲谓易牙、开方、竖刁三人不可重用。管仲死后，桓公未听其言，结果三人专权。

④临没告饥渴：《史记·齐太公世家》载，齐桓公病重，竖刁等三人作乱，桓公被禁闭，终以饥渴而死。当复何及哉：意谓后悔莫及。

【赏析】

这是《读〈山海经〉》十三首中的最后一首，陶渊明不止依照《山海经》，还取资于《尚书》《左传》等史书，记述了尧帝流放共工于幽州，殛杀鲧于羽山和管仲在齐桓公临终前进言反被猜忌的史实。诗文开篇已道明主旨，“帝者慎用才”，君主需要慎重选用人才。尧除四恶，成为上古圣王，齐桓公不听管仲之言，重用易牙、开方和竖刁三人，最后落得被禁锢饥渴而死。任贤能还是选奸邪的各自后果，诗人在其追述历史的过程中，通过对比传达出来。所以此诗实际上是一首咏古述怀之作，想提醒君主以史为鉴，亲贤臣而远小人。

形影神并序[①]

贵贱贤愚，莫不营营以惜生[②]，斯甚惑焉[③]。故极陈形影之苦[④]，言神辨自然以释之[⑤]。好事君子[⑥]，共取其心焉[⑦]。

形赠影

天地长不没，山川无改时[⑧]。
草木得常理，霜露荣悴之[⑨]。
谓人最灵智，独复不如兹[⑩]。
适见在世中，奄去靡归期[⑪]。
奚觉无一人，亲识岂相思[⑫]？

但余平生物，举目情凄洏[13]。

我无腾化术，必尔不复疑[14]。

愿君取吾言，得酒莫苟辞[15]。

【注释】

①形影神：分别指人之形体、身影、精神。

②营营：往来貌，此指忙碌奔波。惜生：爱惜生命。

③斯：这，指如此之生活态度。惑：迷乱，糊涂。

④极陈：详尽陈说。

⑤辨：辨析。自然：自然之道。释：开释，排遣。

⑥好事君子：关心此事之人。

⑦取：采纳，接受。其心：其内在道理。

⑧没：灭，消亡。无改时：永恒不变。

⑨常理：自然之道，规律。荣：开花。悴：衰落，枯萎。

⑩谓人最灵智：意谓人为万物之灵。灵智，聪明睿智。复：副词，表加强语气。不如兹：不如草木之得常理也。

⑪适：刚才。奄去：忽然逝去。奄，忽然。靡：无。

⑫奚：何，怎么。无一人：失去一人。亲识：亲故、旧识。岂：副词，表推测，犹言“是否”。

⑬平生物：生前所用之物。洏（ér）：流泪貌。

⑭腾化术：成仙升天之法术。尔：那样，指死去。

⑮君：形谓影也。苟：苟且，随便。

【赏析】

《形影神》组诗共三首，是陶渊明用人的形体、身影和精神三者互相赠答的形式来讨论他们之间关系的哲理诗。第一首《形赠影》是形对话影，表达形体认为人世无常，应及时行乐的主张。作者将人与天地、山川和草木对比，自然万物或岿然不动，或枯荣循环，只有人虽最灵长，却无法和自然一样，生生不息。“适见在世中，奄去靡归期”，写死亡迅速，会随时而至，而且不会再醒过来。“奚觉无一人”以下四句，是诗人想象人死后的景象，世人不会注意一个人的离开，只有亲友才可能会思念。只留下身前的物品，让生者睹物思人。既然死后一切都不复存在，所以形劝影趁活着的时候，有酒莫辞。这是形的层面，主张借酒欢娱。

影答形

存生不可言，卫生每苦拙①。
诚愿游昆华，邈然兹道绝②。
与子相遇来，未尝异悲悦③。
憩荫若暂乖，止日终不别④。
此同既难常，黯尔俱时灭⑤。
身没名亦尽，念之五情热⑥。
立善有遗爱，胡为不自竭⑦？
酒云能消忧，方此讵不劣⑧。

【注释】

①存生：保存生命，长生不死。《庄子·达生》：“世之人以为养形足以存

生，而养形果不足以存生，则世奚足为哉！”卫生：卫护生命，健康长寿。拙：愚笨，无良策。

②昆华：昆仑山与华山，传说皆神仙所居之地。邈然：渺茫。兹道：求仙之道。

③子：你，指“形”。异悲悦：有悲喜之不同，意谓形悲影亦悲，形喜影亦喜。

④憩（qì）荫：休息于树阴之下。乖：分离。止日：停留于阳光之下。

⑤此同：此指形影不离。黯尔：黯然。俱时灭：同时消亡。

⑥五情：《文选·曹植〈上责躬应诏诗表〉》：“形影相吊，五情愧赧。”刘良注：“五情，喜怒哀乐怨。”亦泛指人之情感。

⑦立善：古人有立德、立功、立言三不朽之说，三不朽谓之立善。遗爱：留与后世之恩惠。胡为：为何。竭：尽，努力。

⑧方此：与此相比。讵（jù）：岂。

【赏析】

第二首《影答形》是影针对上一首形的观点做出的应答。首四句赞同形的想法，长生无法做到，而养生长寿又没有良策，想要远游昆仑山学习成仙之术，但道路邈远不通。接下来六句写形和影相互依存的关系：它们悲哀与喜悦相同，在树阴下休憩时好像是暂时分开，但一回到阳光下又相聚。但这种友好难舍难分的关系，会随着死亡，形影俱灭而终止。但是影提出了新的命题：即便身名都消尽，但“立善有遗爱”，只要行善立德，便会见爱于后世，永垂不朽。形所谓的饮酒，虽然能消除暂时的忧愁，与立善遗爱相比，实在是太过拙劣。这是影的层面，主张行善求名以不朽。

神释

大钧无私力，万物自森著①。
人为三才中，岂不以我故②。
与君虽异物，生而相依附③。
结托善恶同，安得不相语④：
三皇大圣人，今复在何处⑤？
彭祖寿永年，欲留不得住⑥。
老少同一死，贤愚无复数⑦。
日醉或能忘，将非促龄具⑧？
立善常所欣，谁当为汝誉⑨？
甚念伤吾生，正宜委运去⑩。
纵浪大化中，不喜亦不惧⑪。
应尽便须尽，无复独多虑⑫！

【注释】

①大钧：犹言造化，陶人为圆器，其转轮曰钧。言天造万物，如陶之在钧也。无私力：谓不私其力也。森：盛也。著：形著也。言万物森然形著也。

②三才：亦作“三材”，即天、地、人。《周易·系辞下》：“有天道焉，有人道焉，有地道焉，兼三材而两之。”我：神自谓。

③君：你们，指形和影。

④结托：结交依托，此谓相互依托，共同生存。相语：与君解释。

⑤三皇：传说中上古圣王，具体所指说法不一。有天皇、地皇、人皇（泰

皇）之说；有燧人、伏羲、神农之说；有伏羲、神农、黄帝之说等等。

⑥彭祖：传说中长寿者，寿至八百岁。永年：长寿。留：留在人间，不死。

⑦复：再。数：气数，命运。此二句意谓寿长、寿短同是一死，贤人、愚人并无两种定数。

⑧日：每天。忘：忘记对死亡之担忧。将非：岂非。促龄：促使人寿短。具：器具，东西。

⑨当：会，该。为汝誉：称赞你。

⑩甚念：过多考虑。宜：应当。委运：顺随天运。

⑪纵浪：放浪。大化：自然。

⑫尽：大化之尽，即死亡。

【赏析】

第三首《神释》，是神针对形、影的对话做出的说明。首四句总写造化无私，施惠万物。人之所以与天、地合称三才，乃是神的缘故。接着神又说道，因为与形、影相互依附，善恶相同，所以才陈述自己的意见。以上是引出下文。神说，三皇是圣人，彭祖最长寿，但如今都不知在何处，老少贤愚都终有一死。然后对形和影的观点逐一评价：终日饮酒虽然可暂时忘却烦恼，但也会让人短命。行善立德也不一定有会称誉。最后六句是神的观点：过多考虑只会伤害我们的身体，还不如听从命运的安排，“纵浪大化中，不喜亦不惧”。这是神的层面，主张洒脱豁达，听任造化。形、影、神三者的对话，寓示三种不同的人生观，富有哲理，也可从中看出陶渊明内心的矛盾冲突。